Quiz-O-rama

Tome 4

Parfaire ses connaissances générales tout en s'amusant !

Nolwenn Gouezel

MOT DE L'AUTEURE

Je l'avoue, « je suis blonde » ! Et ce n'est pas une blague !

Ma préférée, celle du petit-déjeuner... Vous la connaissez ? Non ?!?

Vous n'avez pas de bol !

Jules César est-il né par césarienne ? Est-ce que la mer est bleue ? Pourquoi le chocolat blanc est-il blanc ? Quel arbre donne des pamplemousses ? Pourquoi ne voit-on jamais de bébés pigeons en ville ? Pourquoi, au Québec, dit-on d'une petite amie que c'est une blonde ? Le hérisson naît-il chauve ou avec des piquants ? Où est la mer, à marée basse ? Les femmes ont-elles plus de matière grise que les hommes ? Comment allez-vous ?

Je vais bien, merci !

Et quand vous aurez fini l'ébullition des neurones, on reparlera peut-être de votre couleur de cheveux ! ;-)

nolwenn.quizorama@gmail.com

TABLE DES MATIÈRES

QUESTIONS

Des règles sur le bout des doigts... et des mots sur le bout de la langue.

1 **Histoire de « dégénération »... Comment appelle-t-on les grands-parents ?**

a. Les aïeuls
b. Les aïeux

2 **Pour vous, l'orthographe, c'est... ?**

a. Un cauchemar
b. Un cauchemard
c. Un cauchemart

3 **Qu'est-ce qu'un diariste ?**

a. Une personne qui souffre de troubles intestinaux
b. Une personne diabolique
c. Une personne qui écrit un journal intime

4 **En Belgique et en Suisse, comment dit-on quatre-vingt-dix ?**

a. Septante
b. Nonante
c. Huitante

5 **Quelle est la traduction littérale de l'expression latine « curriculum vitae » ?**

a. Chemin de vie
b. Connaissance et vécu
c. La vie suit son cours

6 Que signifie l'expression « montrer les dents » ?

a. Avoir très faim
b. Être rancunier
c. Prendre un air menaçant

7 Par gourmandise, vous prendrez bien... ?

a. Un entremet
b. Un entremets

8 Combien de temps dure un lustre, comme dans l'expression « ça fait des lustres » ?

a. Plusieurs jours, c'est-à-dire le temps de brûler les 36 chandelles d'un lustre
b. Au moins 1 an, en référence au lustrage des fourrures qui se renouvelle annuellement
c. Un lustre était une unité de temps et correspondait précisément à 5 ans

9 Lesquels de ces mots s'écrivent avec un accent circonflexe ?

a. Bâteau et hôpital
b. Bâtiment et hôpital
c. Bâteau et bâtiment

10 Répondez rapidement à cette dernière question. Que signifie le mot « bistro » en russe ?

a. À boire !
b. Cul sec !
c. Vite !

RÉPONSES

1 **a. Les aïeuls**

Il ne faut pas les confondre avec les aïeux qui, eux, sont les ancêtres (tous ceux de qui l'on descend). Les arrière-grands-parents s'appellent « les bisaïeuls », et les « trisaïeuls » sont les parents des « bisaïeuls »... tout ce petit monde réuni, ce sont nos aïeux ! Et comme dit la chanson :

« Ton arrière-arrière-grand-père (trisaïeul), il a défriché la terre
Ton arrière-grand-père (bisaïeul), il a labouré la terre
Et pis ton grand-père (aïeul) a rentabilisé la terre
Pis ton père, il l'a vendue pour devenir fonctionnaire »...

2 **a. Un cauchemar**

Étymologiquement, le mot « cauchemar » vient du verbe *caucher*, qui veut dire « piétiner », et de *mare*, qui signifie « esprit ». Le cauchemar désignait, dans les anciennes croyances populaires, un esprit qui venait piétiner ses victimes jusqu'à l'étouffement, pendant leur sommeil.

3 **c. Une personne qui écrit un journal intime**

Le terme « diariste » vient du latin *diarium*, qui signifie « journal ».

4 **b. Nonante**

« Septante » correspond à soixante-dix et « huitante », à quatre-vingt. Au Moyen-Âge, les Français comptaient de 20 en 20 : vingt et dix (pour 30), deux-vingt (pour 40), trois-vingt (pour 60). À la fin du Moyen-Âge, des termes plus faciles à retenir et à utiliser sont apparus. Il s'agit de trente, quarante, cinquante, soixante, septante, octante, nonante. En France, au 17e siècle, les formes soixante-dix, quatre-vintgs, et quatre-vingt-dix ont été adoptées définitivement, au lieu de septante, octante et nonante. Mais les Suisses et les Belges ont préféré garder leur ancien système de comptage, plus facile, selon eux.

5 **a. Chemin de vie**

6 **c. Prendre un air menaçant**
Son origine remonte au 15e siècle et fait référence aux chiens qui grognent et montrent leurs crocs pour menacer et intimider leurs adversaires.

7 **b. Un entremets**
Dans sa définition étymologique, l'entremets désigne un « entre deux plats ». Voilà pourquoi il s'écrit toujours au pluriel.

8 **c. Un lustre était une unité de temps et correspondait précisément à 5 ans**
Son origine vient de *lustrum* qui était, sous l'Empire romain, une cérémonie de purification qui avait lieu tous les cinq ans, lors des recensements.

Au pluriel, la formule « des lustres » désigne une longue période indéterminée... d'où l'expression « ça fait des lustres », qui signifie que ça remonte à bien longtemps.

9 **b. Bâtiment et hôpital**
Attention de ne jamais faire couler un bateau avec un chapeau !

10 **c. Vite !**

QUESTIONS

« Amuse-bouche » et gourmandises.
Des anecdotes pour se régaler.

1 Pourquoi le chocolat blanc est-il blanc ?

a. Parce qu'il ne contient pas de cacao solide, mais uniquement du beurre de cacao
b. Parce qu'il est blanchi chimiquement
c. Parce qu'il est fabriqué à partir de fèves qui ne sont pas arrivées à maturité

2 Quel emblème culinaire américain est devenu un indice économique mondial ?

a. Le Big Mac
b. Le Coca-Cola
c. Le hot-dog

3 Les alcools forts, appelés « digestifs », facilitent-ils la digestion ?

a. Oui
b. Non

4 Quel arbre donne des pamplemousses ?

a. L'oranger
b. Le citronnier
c. Le pamplemoussier

5 De quel pays les croustilles (communément appelées « chips ») sont-elles originaires ?

a. De Belgique
b. Des États-Unis
c. Du Canada

6 **À l'origine, la ratatouille était un mélange de légumes dans lequel on faisait mijoter de la viande de rat. Vrai ou faux ?**

a. Vrai
b. Faux

7 **D'où vient le mot « hamburger » ?**

a. De la ville de Hambourg, en Allemagne
b. De « Hamburg », le nom du chien des frères McDonald
c. De la juxtaposition des mots *ham* (pour jambon) et *burger* (pour tranche de pain)

8 **Peut-on recongeler un aliment déjà décongelé ?**

a. Oui
b. Non

9 **Où le Tabasco est-il fabriqué ?**

a. Au Canada
b. En Louisiane
c. Au Danemark

10 **Quelle est la particularité du céleri ?**

a. Il apporte moins de calories à l'organisme qu'il n'est nécessaire pour le digérer
b. Il pousse en plein désert
c. Il change de couleur à chaque saison

RÉPONSES

1 **a. Parce qu'il ne contient pas de cacao solide, mais uniquement du beurre de cacao**
C'est le cacao qui donne la couleur brune au chocolat noir et au chocolat au lait.
Quant au beurre de cacao, il est blanc. Donc le chocolat blanc est blanc !

2 **a. Le Big Mac**
C'est le magazine britannique *The Economist* qui a créé l'indice Big Mac en 1986 pour comparer le coût de la vie dans le monde. Pourquoi mettre le Big Mac au menu économique ? Parce qu'il est présent dans plus d'une centaine de pays, parce que les matières premières et la main-d'œuvre sont locales, parce que la chaîne est standardisée à travers le monde et que son prix est fixé au niveau national. Pour calculer l'indice, les prix sont rapportés au temps de travail nécessaire pour s'acheter un Big Mac. Exemples pour 2010 :

Colombie	6,50 pesos	2,60 US $	58 minutes à Bogota
Chine	10,5 yuan	1,83 US $	44 minutes à Pékin
Norvège	48 nok	7,02 US $	21 minutes à Oslo
Suisse	6,30 francs suisses	6,30 US $	17 minutes à Genève
États-Unis	3,58 US $	3,58 US $	12 minutes à Chicago

3 **b. Non**
Au contraire ! Quand le taux d'alcool dépasse les 20 %, lesdits digestifs ralentissent la digestion.

4 **c. Le pamplemoussier**
Le mot « pamplemousse » vient du néerlandais *pompelmoes*, qui signifie « gros citron » : *pompel* (gros) et *limoes* (citron).

5 **b. Des États-Unis**
Les croustilles (« chips »)ont été inventées en 1853, au restaurant le Moon Lake Lodge à Saratoga Springs (État de New York). On y servait des « frites françaises »... trop épaisses selon un client qui n'était visiblement pas dans son

assiette le jour où il renvoya son plat en cuisine. « Pas assez croustillantes !?! », poursuit-il. Agacé par cet affront, Georges Crum (le cuisinier) décida alors de couper les pommes de terre en lamelles extrêmement fines avant de les plonger dans de l'huile bouillante. Puis, par vengeance, il y ajouta énormément de sel. Crum n'attendait pas des félicitations pour l'élaboration de cette nouvelle recette !

6 **b. Faux**

Soyez rassurés, surtout si vous êtes un admirateur de Rémy, le petit rat qui rêve de devenir un grand cuisinier, dans le film d'animation *Ratatouille* de la compagnie Disney.

7 **a. De la ville de Hambourg, en Allemagne**

Au 19e siècle, partant du port de Hambourg, de nombreux Allemands émigrèrent vers les États-Unis d'Amérique, emportant avec eux le boeuf haché. Ce sont les frères McDonald qui eurent l'idée de vendre le boeuf haché venant de Hambourg, entre deux tranches de pain.

Et pour la petite anecdote : les habitants de Hambourg s'appellent les Hambourgeois !

8 **b. Non**

Sachez que les bactéries présentes dans les aliments survivent à la congélation (qui ne fait que stopper leur prolifération), puis qu'elles se multiplient au moment de la décongélation. Leur nombre croît spectaculairement lors de la deuxième décongélation et il y a alors un sérieux risque d'intoxication alimentaire.

9 **b. En Louisiane**

Il est aujourd'hui exporté dans plus d'une centaine de pays à travers le monde entier.

10 **a. Il apporte moins de calories à l'organisme qu'il n'est nécessaire pour le digérer**

On dit que le céleri est un aliment à calories négatives.

QUESTIONS

Miscellanées de la vie quotidienne.

1 Pourquoi la plupart des plaques d'égout sont-elles rondes ?

a. Pour qu'elles ne puissent pas tomber dans les égouts
b. Pour qu'on puisse les déplacer facilement en les faisant rouler sur la tranche
c. Pour faciliter leur fabrication

2 Combien de jours y a-t-il dans une année bissextile ?

a. 364 jours
b. 365 jours
c. 366 jours

3 Pourquoi, chez les grands bijoutiers, les montres neuves indiquent-elle 10 h 10 ?

a. Parce que l'accord de Greenwich a été signé à 10 h10 précisément
b. Parce que, ainsi, elles sont toutes à l'heure quand il est 10 h10 précisément
c. Parce que c'est l'heure à laquelle ouvrent les joailliers

4 Entre la pomme, l'ordinateur et l'imperméable, qu'a inventé Charles Macintosh ?

a. La pomme
b. L'ordinateur
c. L'imperméable

5 Quel est le jour de l'année le plus court dans l'hémisphère Sud ?

a. Le 20 ou 21 mars
b. Le 21 ou 22 juin
c. Le 21 ou 22 décembre

6 À quelle vitesse un coussin gonflable de sécurité (« airbag ») se gonfle-t-il ?

a. À environ 3 km/h
b. À environ 30 km/h
c. À environ 300 km/h

7 Y a-t-il un rapport entre le smoking (le costume) et *smoking* (du verbe anglais *to smoke*, signifiant « fumer ») ?

a. Oui, le smoking était l'habit des fumeurs
b. Non, il n'y a aucun rapport

8 De quels côtés de l'assiette les fourchettes et les couteaux doivent-ils être posés ?

a. Le couteau à gauche et la fourchette à droite
b. Le couteau à droite et la fourchette à gauche
c. Les deux à droite

9 À partir de quel lait est traditionnellement fabriquée la mozzarella en Italie ?

a. Du lait de chamelle
b. Du lait de bufflonne
c. Du lait de moineau

10 D'où vient l'emploi du message « Mayday » ?

a. Ce sont les initiales des manœuvres à effectuer en cas de détresse
b. C'était le nom du premier pilote américain abattu lors de la guerre du Vietnam
c. C'est la version anglicisée de « Venez m'aider » !

RÉPONSES

1 a. Pour qu'elles ne puissent pas tomber dans les égouts

Pour la petite anecdote : Les plaques d'égout sont scellées lorsqu'une course de Formule 1 se déroule en milieu urbain, car elles peuvent être soulevées par aspiration au passage des voitures. L'aspiration d'air est si puissante qu'en 1990, lors du Championnat du monde à Montréal, une plaque d'égout a été soulevée par une voiture, puis propulsée à grande vitesse au ras du sol. Depuis cet accident, les plaques sont solidement fixées au sol lors des courses de Formule 1 en milieu urbain.

2 c. 366 jours

La prochaine année bissextile aura lieu en 2012.

3 a. Parce que l'accord de Greenwich a été signé à 10 h 10 précisément

C'était en octobre 1884. Cet accord concerne l'adoption d'un temps universel et du *Greenwich Mean Time* (l'heure GMT). Symboliquement, la tradition veut que les montres soient réglées à cette heure.

4 c. L'imperméable

L'invention de Charles Macintosh (1766-1843) remonte à 1923. Le fabricant écossais venait de découvrir une matière imperméable obtenue par dissolution du caoutchouc. Les premiers imperméables Mackintosh (avec un k) ont été commercialisés en 1924. Aujourd'hui, le nom de Mackintosh est devenu un terme générique utilisé en Grande-Bretagne pour désigner un imperméable.

5 b. Le 21 ou 22 juin

C'est le solstice d'hiver dans l'hémisphère Sud, tandis que c'est le solstice d'été dans l'hémisphère Nord, et donc, ici, le jour le plus long.

6 **c. À environ 300 km/h**

7 **a. Oui, le smoking était l'habit des fumeurs**

Pour passer au fumoir (salon à la disposition des fumeurs), les Britanniques revêtaient une veste pour éviter que leurs habits ne soient imbibés de fumée. Quand ils quittaient la pièce enfumée, ils ôtaient leur « smoking ». Leur entourage n'était donc pas incommodé par l'odeur de tabac sur les vêtements.

8 **b. Le couteau à droite et la fourchette à gauche**

Le tranchant du couteau doit être tourné vers l'assiette. La fourchette se pose à gauche de l'assiette, pointes vers la table. Dans le langage courant (plus en France qu'au Québec), « mettre le couvert » signifie « dresser la table ». L'expression remonte à l'époque médiévale : les plats servis aux seigneurs étaient couverts d'un linge, de crainte qu'une personne malveillante ne cherche à les empoisonner.

9 **b. Du lait de bufflonne**

Traditionnellement, la mozzarella est fabriquée à partir de lait de bufflonne. Mais, aujourd'hui, les indutriels utilisent également du lait de vache.

10 **c. C'est la version anglicisée de « Venez m'aider » !**

Le « Mayday », en tant que message international de détresse, a été adopté en 1927 par la Convention internationale de radiotélégraphie de Washington.

QUESTIONS

Géométrie, calculs, et exercices de logique... on compte sur vous !

1 Géométrie ! Combien d'arêtes a un cube... de bouillon de poisson ?

a. 8 arêtes
b. 10 arêtes
c. 12 arêtes

2 Devinette ! Un homme a trois enfants et sa conjointe en a deux. Ils ont ensemble conçu un seul de ces enfants. Combien des enfants du foyer ont un seul parent biologique sur les deux ?

a. 2 enfants
b. 3 enfants
c. 4 enfants

3 Vocabulaire ! Comment appelle-t-on le résultat d'une multiplication ?

a. Le quotient
b. Le produit
c. Le résultat

4 Algèbre ! Lequel de ces nombres est le plus grand ?

a. 3^4
b. 4^3

5 Calcul et logique ! Un couple et leurs trois enfants vont au cinéma. Le prix total des entrées est de 28 dollars. Le tarif pour les enfants correspond à la moitié du tarif pour les adultes. Combien coûte une place pour un adulte ?

a. 4 dollars
b. 6 dollars
c. 8 dollars

6 **Calcul ! Anne a 9 ans et sa mère en a 35. Quand la mère aura le double de l'âge de sa fille, elles auront... ?**

a. 35 et 70 ans
b. 21 et 42 ans
c. 26 et 52 ans

7 **Géométrie ! Combien de faces a un parallélépipède ?**

a. 6 faces
b. 8 faces
c. 12 faces

8 **Calcul ! Quel nombre augmente de 6 quand on le multiplie par 2 ?**

a. Le 4
b. Le 6
c. Le 8

9 **Logique ! Écrivez 6089 sur une feuille et retournez-là de haut en bas. Lisez les chiffres de droite à gauche. Quels chiffres obtenez-vous ?**

a. 9806
b. 6809
c. 9086

10 **Énigme sans proposition ! Sur la rive d'une rivière, il y a un passeur. Sur la rive d'en face, il y a un loup, une chèvre et un chou. Il faut, en 4 allers-retours en barque, aller les chercher tous les trois, sans que le loup laissé sans surveillance ne mange la chèvre, et sans que la chèvre ne mange le chou. À vous de jouer !**

RÉPONSES

1 c. 12 arêtes
Un cube a 12 arêtes et 6 faces carrées.

2 b. 3 enfants
En effet, seul un des enfants est né de cette union. Donc, l'homme, qui a maintenant trois enfants, en avait deux d'une précédente union. La femme avait, quant à elle, déjà un enfant, puisque, aujourd'hui, elle en a deux !

3 b. Le produit
Le quotient désigne le résultat d'une division.

4 a. 3^4
Preuve par les chiffres :
$3^4 = 3 \times 3 \times 3 \times 3 = 81$ et $4^3 = 4 \times 4 \times 4 = 64$

5 c. 8 dollars
Le tarif pour les enfants est à 4 dollars :
$(2 \times 8) + (3 \times 4) = 28$ dollars.
Pour trouver la solution, il faut résoudre l'équation suivante :
(2 x prix adulte) + (3 x prix enfant) = 28 dollars, soit
(2 x prix adulte) + (1,5 x prix adulte) = 28 dollars
Le prix pour les adultes est donc de 28/3,5 : soit 8 dollars.

6 c. 26 et 52 ans
Explication : Aujourd'hui, Virginie a 9 ans et sa mère a 35 ans. Il y a donc une différence d'âge de 35 – 9, soit 26 ans entre les deux. Cette différence d'âge ne changera jamais avec le temps. Pour que l'âge de la mère soit le double de celui de sa fille, il faut donc que Virginie soit âgée de 26 ans, et sa mère de 52 ans.

7 **a. 6 faces**

Les faces du parallélépipède sont des parallélogrammes, c'est-à-dire des formes géométriques à quatre côtés. Les côtés opposés sont deux à deux, parallèles et égaux. Un cube est un parallélépipède.

8 **b. Le 6**

6 multiplié par 2 est égal à 12, qui est égal à 6 + 6.

9 **c. 9086**

10 **Réponse de l'énigme :**

Il faut faire un **premier voyage** pour aller chercher la chèvre. Sur la rive, il restera alors le loup et le chou.

Au **deuxième voyage**, il faut aller chercher le chou. Le loup restera seul.

Au **troisième voyage**, il faut aller chercher le loup. Mais attention, car la chèvre ne doit pas rester seule avec le chou. Donc, en allant chercher le loup, il faut ramener la chèvre sur l'autre rive et repartir avec le loup.

Le **quatrième et dernier** voyage consiste à aller récupérer la chèvre en laissant le loup avec le chou, tous les deux, seuls sur la rive.

QUESTIONS

Le quiz des « Pourquoi ? »

1 Pourquoi ne voit-on jamais de bébés pigeons en ville ?

a. Parce que les bébés pigeons ne sortent pas du nid avant d'être grands
b. Parce qu'ils grandissent à la campagne et ne rejoignent les villes qu'une fois adultes
c. Parce qu'ils atteignent leur taille adulte en seulement deux jours après l'éclosion des oeufs

2 Pourquoi la pêche Melba s'appelle-t-elle « pêche Melba » ?

a. Parce que « Melba » en italien signifie « crème fouettée »
b. Parce que c'est le nom de la cantatrice pour qui ce dessert a été élaboré
c. Parce que la pêche « met le bas » et « enlève le haut »

3 Pourquoi dit-on que les sentiments sont associés au cœur ?

a. Parce que le rythme cardiaque s'accélère quand on est amoureux
b. Parce que l'organe a la forme d'un coeur
c. Parce que, comme disait Pascal : « Le cœur a ses raisons que la raison ne connaît point. »

4 Pourquoi se serre-t-on la main pour se saluer ?

a. Parce que les chevaliers souffraient souvent d'hallucinations... « Pince-moi, je rêve ! »
b. Parce que les chrétiens étaient comme saint Thomas... « Je ne crois que ce que je vois. »
c. Parce que, au Moyen-Âge, c'était un signe de non-hostilité

5 Pourquoi les glaçons collent-ils aux doigts ?

a. Parce que l'eau de notre peau gèle superficiellement au contact des glaçons
b. Parce que nos doigts sont sales, et les impuretés deviennent de la colle
c. Parce que notre température corporelle fait fondre trop rapidement l'eau des glaçons

6 Pourquoi a-t-on de la fièvre quand on est malade ?

a. Parce que le corps augmente la température pour combattre les microbes
b. Parce que l'organisme fonctionne à plein régime et surchauffe comme un moteur
c. Parce qu'on boit beaucoup de boissons chaudes quand on est malade

7 Pourquoi les chauves-souris dorment-elles la tête en bas ?

a. Parce qu'elles ont une mauvaise circulation sanguine
b. Parce que, ainsi, elles peuvent s'enfuir plus rapidement en cas de danger
c. Parce qu'elles n'aiment pas les histoires à dormir debout

8 Pourquoi un enfant de moins de huit ans traverse-t-il la route alors qu'une voiture arrive ?

a. Parce qu'il pense que Superman existe
b. Parce que, entre autres raisons, il ne s'aperçoit pas que la voiture est en mouvement
c. Parce que, par expérience, il sait que la voiture va s'arrêter à temps

9 Pourquoi les Anglais roulent-ils à gauche ?

a. Parce que, au Moyen-Âge, les chevaux trottaient à gauche
b. Parce que les Anglais n'ont pas été colonisés par Napoléon
c. Parce que les volants de leurs voitures sont à droite

10 Pourquoi sert-on le vin dans des verres à pied ?

a. Parce qu'on peut ainsi admirer sa robe
b. Parce que c'est plus élégant pour y plonger son nez
c. Pour ne pas réchauffer le vin avec sa main

RÉPONSES

1 **a. Parce que les bébés pigeons ne sortent pas du nid avant d'être grands**
Ils ne quittent pas leur nid avant l'âge de 35 jours. Ils ont alors assez de plumes pour voler et ressemblent déjà à leurs parents.

2 **b. Parce que c'est le nom de la cantatrice pour qui ce dessert a été élaboré**
On doit la pêche Melba à Auguste Escoffier qui, dans les années 1890, créa ce dessert pour la cantatrice australienne Nellie Melba.

3 **a. Parce que le rythme cardiaque s'accélère quand on est amoureux**
Le système sanguin (dans lequel le cœur est au centre) a été compris bien avant le système nerveux. Constatant que le rythme cardiaque se modifiait en fonction des émotions, nos ancêtres avaient déduit que le cœur était à l'origine de tous nos sentiments.

4 **c. Parce que, au Moyen-Âge, c'était un signe de non-hostilité**
Cette coutume était à double tranchant. Il s'agissait, d'une part, de montrer que l'on n'avait pas une arme dans la main et, d'autre part, de vérifier qu'il en était de même pour son interlocuteur. L'histoire raconte que les Anglais n'hésitaient pas à secouer la main de façon à faire tomber une arme éventuellement dissimulée dans la manche, d'où le *shake hands* (secouons-nous les mains).

5 **a. Parce que l'eau de notre peau gèle superficiellement au contact des glaçons**
Des petites molécules de glace se forment dans nos pores et se lient ainsi au glaçon. Notre chaleur corporelle fait heureusement fondre la glace, et le glaçon ne reste pas longtemps collé à nos doigts.

6 **a. Parce que le corps augmente la température pour combattre les microbes**
Ce n'est pas la chaleur qui tue directement les microbes; mais elle permet à notre système de défense d'être plus efficace.

7 **b. Parce que, ainsi, elles peuvent s'enfuir plus rapidement en cas de danger**
Il leur suffit de lâcher prise pour s'envoler. Mais c'est aussi parce que les chauves-souris trouvent cette position plus confortable du fait de leur anatomie. Elles ne seraient pas libres de leurs mouvements si elles se dressaient sur leurs pattes.

8 **b. Parce que, entre autres raisons, il ne s'aperçoit pas que la voiture est en mouvement**
Il lui faut 4 secondes pour constater que la voiture roule (contre 1/7e de seconde pour un adulte). L'enfant de moins de huit ans a un champ visuel inférieur à 70° (contre 180° chez l'adulte). Enfin, un enfant ne sait apprécier ni la distance ni la vitesse. Il ne peut donc pas évaluer le temps d'approche des voitures.

9 **a. Parce que, au Moyen-Âge, les chevaux trottaient à gauche**
et b. Parce que les Anglais n'ont pas été colonisés par Napoléon
Du temps des chevaliers, ceux-ci trottaient à gauche pour ne pas entrechoquer leurs armes et pour pouvoir donner des coups d'épée de leur main droite. C'est Napoléon qui changea cette coutume en France, puis il imposa la conduite à droite dans tous les pays qu'il conquit. Or, il n'a jamais vaincu la Grande-Bretagne; celle-ci et la plupart de ses colonies ont donc conservé la conduite à gauche.

10 **c. Pour ne pas réchauffer le vin avec sa main**
Les changements de température modifient le vin. En tenant le verre par le pied, on ne risque pas de l'altérer.

QUESTIONS

Connaître son corps par cœur :
anatomie et fonctionnement.

1 Lequel de ces mots a la même racine étymologique que le mot « vaccin » ?

a. Vache
b. Vagin
c. Vagal (comme le système nerveux)

2 Quelle est la longueur de nos intestins ?

a. 3 mètres
b. 7 mètres
c. 20 mètres

3 Les médicaments homéopathiques sont... ? (Plusieurs choix sont possibles.)

a. D'origine végétale
b. D'origine animale
c. D'origine minérale

4 Combien pèse notre squelette osseux (pour une corpulence moyenne) ?

a. 10 kg
b. 18 kg
c. 25 kg

5 Lequel de nos organes est à l'origine du mal de mer ?

a. L'oreille
b. L'estomac
c. Le foie

6 Quand a lieu la période d'ovulation chez la femme ?

a. Pendant ses menstruations
b. 3 à 4 jours après ses menstruations
c. Au milieu de son cycle (soit 14 jours avant les prochaines menstruations)

7 Quelle moelle se situe au niveau de notre colonne vertébrale ?

a. La moelle épinière
b. La moelle osseuse
c. Il n'y a pas de moelle dans les vertèbres

8 Quel est le nom scientifique du rot ?

a. La rotation
b. L'éructation
c. L'érection

9 Combien de couches jetables un enfant utilise-t-il avant d'être propre ?

a. Environ 1 000
b. Environ 2 300
c. Environ 4 500

10 À quoi sert le muscle appelé « sphenomandibularis » (découvert seulement en 1996) ?

a. À garder la bouche ouverte chez le dentiste
b. À empêcher la bouche de s'ouvrir sous l'effet de la gravité terrestre
c. À grincer des dents la nuit

RÉPONSES

1 **a. Vache**

Les mots « vaccin » et « vache » ont la même racine étymologique (du latin *vacca*, qui signifie « vache »), car les vaccins viennent effectivement des vaches ! Au 18e siècle, les premières expérimentations d'immunologie concernaient la variole. À l'origine, on mettait les patients en contact avec la substance suppurante prélevée sur des personnes atteintes de cette maladie infectieuse. C'était la variolisation. Plus tard, un nouveau procédé d'immunisation fut mis au point. Le principe consistait à utiliser, non pas des souches de variole humaine, mais des souches de variole de la vache, car elles étaient moins dangereuses pour l'homme. C'est ainsi qu'est né le principe de vaccination et le vaccin.

2 **b. 7 mètres**

Nos intestins, lorsqu'ils sont déroulés, mesurent environ 7 mètres (et 3 cm de diamètre) pour un adulte de corpulence moyenne.

3 **a. D'origine végétale**
b. D'origine animale
c. D'origine minérale

Ils sont fabriqués à partir de végétaux, d'insectes broyés, de sécrétions de divers animaux, de sels minéraux et de métaux. La pratique de cette médecine dite parallèle remonte à la fin du 18e siècle, grâce au physicien allemand Samuel Hahnemann.

4 **b. 18 kg**

5 **a. L'oreille**

C'est elle qui est à l'origine du mal de mer, ou plus précisément les canaux du vestibule de l'oreille qui servent à notre équilibre. Lorsque le cerveau reçoit des informations qui ne concordent pas entre elles, il envoie un signal de dysfonctionnement et le corps réagit, avec notamment des contractions stomacales.

6 **c. Au milieu de son cycle (soit 14 jours avant les prochaines menstruations)**

La période la plus propice à la fécondation se situe entre le 10e et le 15e jour du cycle (le premier jour du cycle étant le premier jour des menstruations).

7 **a. La moelle épinière**

8 **b. L'éructation**

Éructer signifie renvoyer par la bouche les gaz contenus dans l'estomac. L'éructation est une émission bruyante de ces gaz !

9 **c. Environ 4 500**

On considère ici qu'il lui faut 5 changes par jour jusqu'à l'âge de 2 ans et demi.

10 **b. À empêcher la bouche de s'ouvrir sous l'effet de la gravité terrestre**

La prochaine fois que vous serez étonné au point d'en garder la bouche ouverte, pensez au sphenomandibularis, et fermez-la.

QUESTIONS

Le dico des petits et grands... animaux, pour se coucher moins bête !

1 De quelle couleur est la peau des ours blancs ?

a. Blanche
b. Rose
c. Noire

2 Quelle est la longueur de la langue d'une girafe ?

a. 15 cm
b. 25 cm
c. 45 cm

3 Les chouettes peuvent tourner la tête à 360°. Vrai ou faux ?

a. Vrai
b. Faux

4 Comment le mâle de la punaise de lit fait-il pour féconder la femelle ?

a. Il fait le mort et attend que la femelle fasse le premier bond
b. Il transperce brutalement l'abdomen de sa partenaire avec son pénis
c. La reproduction des punaises de lit reste un mystère

5 À quel âge une poule est-elle ménopausée ?

a. À 2 ans
b. Vers 7 ans
c. Jamais

6 Combien de pattes a une araignée ?

a. 4 pattes
b. 6 pattes
c. 8 pattes

7 Les poissons font-ils pipi dans l'eau ?

a. Oui, tout comme certaines personnes font pipi dans la piscine
b. Non, ils n'ont pas de système urinaire

8 Lequel ou lesquels de ces animaux bêlent ?

a. Le phoque
b. La chèvre
c. Le bélier

9 Le petit hérisson naît-il chauve ou avec ses piquants ?

a. Chauve
b. Avec ses piquants

10 À quelle fréquence les chenilles s'accouplent-elles ?

a. Jamais
b. Une seule fois au cours de toute leur existence
c. Uniquement après les repas

RÉPONSES

1 c. Noire

L'ours polaire est parfaitement adapté au climat froid des régions arctiques : un duvet dense, des poils longs et lustrés, et une peau noire (visible autour de la truffe). Les rayons du soleil sont captés par les poils et dirigés vers la peau de l'ours. Les poils de l'ours polaire fonctionnent comme de véritables fibres optiques et la peau de couleur noire absorbe alors au maximum cette énergie pour la transformer en chaleur. Le pelage blanc de l'animal limite alors les déperditions de cette chaleur.

2 c. 45 cm

C'est donc sans problème que la girafe peut discrètement se curer les narines, voire même se nettoyer les oreilles, du bout de la langue !

3 b. Faux

Les chouettes peuvent tourner la tête selon un angle de 270° au maximum. Ce qui est déjà un bel exploit. Cette extrême mobilité compense le fait que leurs yeux ne bougent pas à l'intérieur des orbites, comme les nôtres. Autre particularité de la chouette : ses oreilles ne sont pas toutes les deux à la même hauteur. C'est chouette, non ?

4 b. Il transperce brutalement l'abdomen de sa partenaire avec son pénis

Ce mode reproduction est « une insémination extra génitale traumatique ». Bien que le mâle n'ait pas la délicatesse de les utiliser pour la reproduction, la femelle a bel et bien des voies génitales qui lui servent à pondre.

5 b. Vers 7 ans

Une poule est ménopausée quand ses ovocytes sont épuisés. Mais les autres animaux (telle que la vache) ne sont pas ou très peu longtemps, ménopausés.

6 **c. 8 pattes**

L'araignée appartient à la famille des arachnides et possède donc 8 pattes, contrairement aux insectes qui, eux, ont par définition 6 pattes.

7 **a. Oui, tout comme certaines personnes font pipi dans la piscine**

Sachez que les poissons d'eau douce font beaucoup plus souvent pipi que les poissons d'eau salée.

8 **a. Le phoque**
b. La chèvre

Quant au bélier, il blatère comme le chameau. Le dindon glougloute, le canard cancane, et la hyène ricane.

9 **a. Chauve**

Heureusement pour la maman, le petit hérisson naît chauve. Ses piquants vont commencer à pousser quelques heures seulement après la naissance.

10 **a. Jamais**

Les chenilles ne s'accouplent jamais pour la bonne et simple raison qu'elles n'ont pas de sexe. Ce n'est qu'une fois métamorphosées qu'elles pourront papillonner...

NE PASSEZ PAS SOUS L'ÉCHELLE
QUESTIONS

Mythes, croyances et superstitions.

1 Si un marin se rend compte qu'une jeune fille lui a touché son pompon, que lui réclame-t-il ?

a. Sa petite culotte
b. Un baiser
c. De lui montrer ses seins

2 Comment nomme-t-on la peur du vendredi 13 ?

a. La triskaidékaphobie
b. La venustriskaphobie
c. La paraskevidékatriaphobie

3 Avec quelle main est-il recommandé de jeter une pièce dans une fontaine ?

a. Avec la main droite par-dessus l'épaule droite
b. Avec la main droite par-dessus l'épaule gauche
c. Avec la main gauche par-dessus l'épaule droite

4 Que présage le fait de rêver de la mort d'une personne ?

a. Celle-ci traverse une longue période difficile
b. Elle va avoir un accident
c. Sa vie est prolongée

5 Qu'est-ce que la malédiction de Toutankhamon ?

a. Quiconque touchera la momie sera *ad vitam æternam* hanté par le pharaon
b. Quiconque essaiera de percer le mystère du Pharaon périra soudainement
c. Il n'y a pas de malédiction

6 **Quel objet ne faut-il pas poser sur un lit, sous aucun prétexte, au risque de porter malheur ?**

a. Un parapluie
b. Un paillasson
c. Un chapeau

7 **Quelle couleur porte malheur aux Italiens ?**

a. Le violet
b. Le bleu
c. Le jaune

8 **Que ne faut-il pas faire quand on envoie un faire-part de mariage ?**

a. L'imprimer recto verso
b. Glisser un petit mot avec le faire-part
c. Imprimer l'adresse sur l'enveloppe

9 **Pour qu'un vœu se réalise, qu'est-il préférable de faire ?**

a. Croiser les doigts
b. Faire craquer ses doigts
c. Se croiser les bras

10 **En Irlande, qu'annonce un chat noir ?**

a. Une bonne nouvelle
b. Une mort prochaine
c. Une rentrée d'argent

RÉPONSES

1 **b. Un baiser**

Les marins de la Marine Nationale portent un béret avec un pompon rouge. Quiconque touche le pompon de l'index gauche aura 24 heures de chance, si le marin ne s'en aperçoit pas. Si une personne arrive à toucher trois pompons dans la même journée, alors cela équivaut à trois semaines de chance.

2 **c. La paraskevidékatriaphobie**

La peur du vendredi 13 est la paraskevidékatriaphobie et celle du chiffre 13, la triskaidékaphobie.

3 **b. Avec la main droite par-dessus l'épaule gauche**

Pour porter chance, et que ses vœux se réalisent, c'est ainsi qu'il faut jeter les pièces dans les fontaines. Tout ne tient pas au miracle !

4 **c. Sa vie est prolongée**

5 **c. Il n'y a pas de malédiction**

La malédiction de Toutankhamon (dont le tombeau fut découvert en 1922) est une légende véhiculée par les médias, suite à une série de morts « suspectes » après exhumation de la momie. La superstition d'une tombe maudite et le retour à la vie d'une momie pour punir les profanateurs est avant tout l'histoire d'un roman et surtout une histoire à dormir debout comme « Toutan... chacun » !

6 **c. Un chapeau**
On dit que cela porterait malheur, car autrefois, les hommes portaient le chapeau lors des enterrements et le retiraient lorsqu'ils entraient dans la chambre mortuaire lors des derniers hommages.

7 **a. Le violet**
Le vert et le bleu portent malheur aux Anglais et le jaune, aux Espagnols.

8 **c. Imprimer l'adresse sur l'enveloppe**
Il faut absolument l'écrire à la main.

9 **a. Croiser les doigts**
Pour certains, cela représente le signe de croix.

10 **a. Une bonne nouvelle**
Cet animal était vénéré par les Égyptiens pendant l'Antiquité. Les chats étaient embaumés, momifiés et enterrés comme des pharaons. Au Moyen-Âge, le chat noir, alors associé à la sorcellerie, est devenu un symbole de malheur. Aujourd'hui, il porterait encore malheur dans de nombreuses sociétés.
Mais au Japon, en Irlande ou encore en Grande-Bretagne, le chat noir est plutôt de bon augure..., il annoncerait de bonnes nouvelles. En Écosse, s'il entre dans la maison, il promet même la richesse. « Chat » alors !

QUESTIONS

À des années-lumière.

1 Comment les astronautes font-ils leurs besoins ?

a. Ils s'attachent aux toilettes
b. Ils utilisent des sondes
c. Ils n'ont pas besoin d'aller aux toilettes

2 Quelle est la différence entre un météore et une météorite ?

a. Une météorite est un petit météore
b. Une météorite est un corps céleste qui atteint la surface terrestre

3 Qui a démontré le premier que la Terre et les autres planètes tournaient autour du Soleil ?

a. Copernic
b. Galilée
c. Kepler

4 Neil Armstrong a été le premier homme dans l'espace. Vrai ou faux ?

a. Vrai
b. Faux

5 Dans l'hémisphère Nord, l'Étoile polaire indique le nord. Et dans l'hémisphère Sud ?

a. On aperçoit toujours l'Étoile polaire et elle indique toujours le nord
b. On aperçoit toujours l'Étoile polaire, mais elle indique toujours le sud
c. L'Étoile polaire n'est pas visible

6 **Quelle lettre de l'alphabet est dessinée par la constellation de Cassiopée ?**

a. Un C
b. Un P
c. Un W

7 **Si vous lâchez une plume et un marteau en même temps, à la surface de la Lune, que se passera-t-il ?**

a. Les deux vont flotter
b. Le marteau et la plume vont atteindre le sol en même temps
c. Le marteau va tomber plus vite

8 **La Lune s'éloigne-t-elle ou se rapproche-t-elle de la Terre ?**

a. La Lune s'éloigne de la Terre
b. La Lune se rapproche de la Terre
c. La distance reste toujours la même

9 **Pourquoi le ventre de la navette spatiale est-il noir ?**

a. C'est un bouclier qui permet à la navette de rentrer dans l'atmosphère sans se désagréger
b. C'est pour se camoufler dans l'espace
c. C'est purement esthétique

10 **Quel phénomène céleste est rattaché à l'étoile de Bethléem (l'étoile qu'auraient suivie les Rois mages à la naissance de Jésus) ?**

a. La comète de Halley
b. Une supernova (une étoile en explosion, visible à l'œil nu)
c. Un alignement de planètes (Jupiter et Saturne)

RÉPONSES

1 **a. Ils s'attachent aux toilettes**

Pour rester assis sur le siège des toilettes, les astronautes utilisent des sangles de fixation. Ils utilisent des toilettes sèches (sans eau) et les excréments sont aspirés vers un compartiment de stockage.

2 **b. Une météorite est un corps céleste qui atteint la surface terrestre**

Un météore correspond à un corps céleste qui se désagrège en traversant l'atmosphère, en produisant un phénomène lumineux. Une météorite est un corps rocheux d'origine extraterrestre qui a survécu à la traversée de l'atmosphère et qui a atteint la surface de la Terre.

3 **a. Copernic**

Nicolas Copernic fut le premier à démontrer la théorie de révolution des planètes autour du Soleil. Dans un traité datant de 1543, il expliquait que le Soleil occupait le centre du monde et que c'était autour de lui que les planètes tournaient. Cette théorie s'appelle l'héliocentrisme.

4 **b. Faux**

Neil Armstrong fut le premier homme à marcher sur la Lune (1969), et Louri (aussi nommé Youri) Gagarine, le premier homme dans l'espace (1961).

5 **c. L'Étoile polaire n'est pas visible**

Pour se repérer dans l'hémisphère Sud, il vaut mieux chercher « la Croix du Sud ». C'est une constellation de quatre étoiles qui forment une petite croix latine. Son orientation renseigne sur la direction du sud.

6

c. Un W

La constellation de Cassiopée dessine un grand W avec cinq étoiles d'intensité lumineuse comparable.

7

b. Le marteau et la plume vont atteindre le sol en même temps

Cette expérience a été réalisée sur la Lune, en 1971, vérifiant ainsi la théorie de Galilée selon laquelle, dans le vide, les objets tombent tous à la même vitesse, quel que soit leur poids, puisqu'il n'y a aucun frottement dû à l'air.

8

a. La Lune s'éloigne de la Terre

... Mais de quelques centimètres seulement par année.

9

a. C'est un bouclier qui permet à la navette de rentrer dans l'atmosphère sans se désagréger

Ce bouclier thermique, sous la navette spatiale, est constitué de tuiles noires. Il empêche la navette de s'embraser sous l'effet des hautes températures.

10

c. Un alignement de planètes (Jupiter et Saturne)

L'étoile de Bethléem, suivie par les Rois mages à la naissance de Jésus, serait possiblement un rapprochement spectaculaire de Jupiter et de Saturne. C'est en tout cas l'hypothèse vers laquelle penchent les historiens. On pourrait également attribuer ce phénomène au rapprochement de Jupiter et de Vénus le 17 juin de l'an 2 (sachant que la date de la naissance du Christ est incertaine). Une nuit de juin paraît assez cohérente avec le fait que les bergers étaient dehors en pleine nuit avec des agneaux.

QUESTIONS « SUR-NATUR-ELLES »

Géographie et environnement.

1 Où est la mer à marée basse ?

a. Au mileu de l'océan..., quand la lune est au-dessus du milieu de l'océan, elle « aspire » l'eau vers le haut
b. De l'autre côté de l'océan..., si la marée est haute au Maroc, alors elle est basse en Floride
c. Ailleurs sur une autre côte..., à 90° selon l'axe Terre-Lune

2 Quel est le principal producteur d'oxygène sur terre ?

a. Les forêts
b. Les algues
c. Les montagnes

3 Que signifie le terme « dinosaure » ?

a. Reptile effrayant
b. Lézard préhistorique
c. Monstre

4 Dans l'hémisphère Nord, quelle est la saison la plus courte ?

a. Le printemps
b. L'été
c. L'hiver

5 Le tournesol suit la position du soleil pendant la journée. Vrai ou faux ?

a. Vrai
b. Faux

6 À partir de quel arbre de la forêt amazonienne fabrique-t-on le caoutchouc ?

a. De l'hévéa
b. Du cactus
c. Du ficus

7 Comment s'appelle le détroit qui relie l'océan Atlantique et la mer Méditerranée ?

a. Le détroit de Gibraltar
b. Le détroit de Béring
c. Le détroit de Magellan

8 Pourquoi les arbres perdent-ils leurs feuilles à l'automne ?

a. Ce sont les arbres qui s'en débarrassent pour économiser leur énergie à l'approche de l'hiver
b. Les feuilles ont souffert des chaleurs de l'été et sont à court d'énergie
c. Le vent devient plus violent et arrache les feuilles petit à petit

9 À vol d'oiseau, quelle est la ville la plus proche de Tokyo : Montréal ou Paris ?

a. Montréal (Canada)
b. Paris (France)
c. Elles sont à la même distance

10 En quelle saison les ombres sont-elles les plus courtes ?

a. Au printemps
b. En été
c. En hiver

QUESTIONS « SUR-NATUR-ELLES »

RÉPONSES

1 c. Ailleurs sur une autre côte..., à 90° selon l'axe Terre-Lune

Les marées résultent de l'attraction de la Lune et du Soleil sur les océans. La Lune attire simultanément les masses d'eau face à elle et celles situées à l'opposé, de l'autre côté de la Terre. Quand il y a une marée basse en Bretagne, il y a une marée basse sur les côtes situées diamétralement de l'autre côté de la Terre, selon l'axe Lune-Terre (soit à 180°). Les côtes situées à 90° de cet axe sont alors à marée haute.

2 b. Les algues

Les algues marines sont, plus que les forêts, le poumon de la Terre, dans le sens où ce sont les principaux producteurs d'oxygène de notre planète. Elles jouent un rôle primordial et fournissent les deux tiers de l'oxygène terrestre.

3 a. Reptile effrayant

« Dinosaure » vient du grec *dinosauria* : *deinos* (qui signifie « terrible ») et *sauros* (qui signifie « reptile », « lézard »). Les dinosaures sont des reptiles préhistoriques de l'ère secondaire.

4 c. L'hiver

L'hiver ne dure que 89 jours tandis que le printemps dure 92,8 jours et que l'été dure 93,6 jours. Les durées sont un tout petit peu différentes, car l'orbite de la Terre n'est pas un cercle, mais une ellipse. Dans l'hémisphère Sud, ces durées sont inversées.

5 b. Faux

Contrairement aux idée reçues, les fleurs de tournesol s'ouvrent le matin quand le soleil se lève, mais ensuite, elles ne changent pas d'inclinaison jusqu'au coucher du soleil ! Comme la plupart des plantes, le tournesol pousse en direction de la lumière (c'est le phototropisme). Dans le cas du tournesol, qui a une croissance très rapide, les différences de croissance d'un côté de la tige par rapport à l'autre peuvent entraîner un changement d'inclinaison des fleurs au cours de la journée. On peut donc croire qu'elles suivent le soleil, mais il n'en est rien.

6

a. De l'hévéa

L'hévéa est l'arbre qui produit le plus de latex, la forme liquide du caoutchouc. L'écorce de l'arbre est entaillée et, de cette blessure, coule le lait végétal appelé latex.

7

a. Le détroit de Gibraltar

Large d'une quinzaine de kilomètres, il se situe au sud de l'Espagne et au nord du Maroc.

8

a. Ce sont les arbres qui s'en débarrassent pour économiser leur énergie à l'approche de l'hiver

Dès les premières chutes de température, les feuilles vont être progressivement isolées des branches par l'apparition d'une fine couche de liège à la base des feuilles; les canaux qui transportent la sève vont se boucher petit à petit. Les feuilles vont se déshydrater progressivement et finir par tomber, lorsque la couche de liège sera complètement formée.

9

b. Paris (France)

... avec approximativement 9 720 km entre Tokyo et Paris, contre environ 10 390 km entre Tokyo et Montréal.

10

b. En été

QUESTIONS

Un « quiz-o-vert ».

1 Que peut-on fabriquer avec 650 cannettes en aluminium ?

a. Une trottinette
b. Un distributeur de boissons fraîches
c. Un vélo

2 Sur combien de pays la forêt amazonienne s'étend-elle ?

a. Sur 4 pays
b. Sur 6 pays
c. Sur 8 pays

3 Qu'est-ce que le *greenwashing* (écoblanchiment) ?

a. Un procédé marketing visant à donner une image écologique aux entreprises
b. Un procédé biologique pour rendre les légumes verts encore plus verts
c. Le blanchiment 100 % écologique du papier recyclé

4 À partir de quel produit de grande consommation, après recyclage, obtient-on du papier de toilette ?

a. Des bouteilles en plastique
b. Des cartons de jus et de lait
c. Des boîtes de conserve

5 Quelle est l'origine de l'association Greenpeace ?

a. Hollandaise
b. Canadienne
c. Française

6 Quelle quantité de compost génère 1 kg de déchets organiques ?

a. 300 g
b. 500 g
c. 1 kg

7 En quelle année sont apparues les premières notions d'effet de serre ?

a. En 1824
b. En 1902
c. En 1955

8 En 2010, à partir de quelle date, à l'échelle mondiale, notre empreinte écologique a-t-elle dépassé la capacité de la Terre à se renouveler au cours de l'année ?

a. Le 3 juin
b. Le 21 août
c. Le 28 octobre

9 Combien faut-il de plutonium pour avoir un potentiel énergétique équivalent à une tonne de pétrole ?

a. 1 gramme
b. 100 grammes
c. 800 grammes

10 Que contient « l'arche de Noé verte » enfouie sous les glaciers de l'Arctique ?

a. Des plantes
b. Des semences
c. Des arbres centenaires

RÉPONSES

1 c. Un vélo

Il faudrait 126 cannettes pour fabriquer une trottinette, 629 cannettes pour fabriquer une chaise, et 19 000 cannettes pour fabriquer une voiture.

2 c. Sur 8 pays

La forêt amazonienne s'étend sur le Brésil, l'Équateur, la Colombie, le Vénézuéla, la Guyane, la Bolivie, le Surinam et le Pérou. La déforestation avancerait au rythme d'un terrain de foot toutes les sept secondes !

3 a. Un procédé marketing visant à donner une image écologique aux entreprises

Plus d'argent est investi en « publicité verte » que dans de véritables actions en faveur de l'environnement. Cela s'appelle également du « marketing vert ».

4 b. Des cartons de jus et de lait

Ces contenants en carton, lorsqu'ils sont recyclés, permettent de fabriquer du papier de toilette, mais aussi du « papier kraft », et du papier d'emballage pour les cadeaux.

5 b. Canadienne

L'organisation non gouvernementale Greenpeace a été fondée à Vancouver (au Canada) en 1971 par des opposants aux essais nucléaires. Aujourd'hui, son siège est à Amsterdam (aux Pays-Bas).

6 a. 300 g

Le compost réduit environ d'un tiers les déchets organiques. Il améliore la qualité des sols et réduit les besoins en engrais chimiques.

7 a. En 1824

Le physicien français Joseph Fournier posa les bases du principe de l'effet de serre dès le début du 19e siècle, dans son mémoire intitulé *Mémoire sur les températures du globe terrestre et des espaces planétaires*. Bien qu'il n'employa pas le terme « effet de serre », il est considéré comme le précurseur de cette théorie.

8 b. Le 21 août

Le groupe de recherche américain en environnement Global Footprint Network calcule annuellement le jour de dépassement (*the Earth Overshoot Day*). En 2009, ce jour a été fixé au 25 septembre. À partir de cette date symbolique, commence notre « crédit écologique » annuel : nous puisons alors dans des ressources non renouvelables, et nos déchets ne peuvent plus être absorbés par les écosystèmes... À partir de cette date dite « de dépassement », et jusqu'à la fin de l'année, nos activités dépassent la capacité régénératrice de notre planète.

9 a. 1 gramme

10 b. Des semences

L'arche de Noé « verte » est destinée à conserver le patrimoine végétal de la Terre. Elle abrite des graines des principales cultures vivrières afin de préserver la diversité végétale menacée par les catastrophes naturelles, le changement climatique, ou encore les guerres. La plus importante banque de semences de la planète est située en Norvège, à environ 1 000 km du pôle Nord.

QUESTIONS

Anecdotes et faits historiques.

1 Quelle est la différence entre un tank et un char d'assaut ?
a. Les tanks sont anglais et les chars d'assaut, français
b. Les tanks ne sont pas utilisés pendant les combats
c. Il n'y a aucune différence, le terme « tank » était un nom de code pour les chars d'assaut

2 Au cours de quel mois de l'année les Russes fêtent-ils la révolution d'octobre ?
a. En septembre
b. En octobre
c. En novembre

3 Où se situe la prison d'Alcatraz ?
a. Sur l'île d'Alcatraz dans l'océan Indien
b. Sur l'île d'Alcatraz dans la baie de San Francisco
c. Sur l'île d'Alcatraz dans les Antilles

4 Quel était le nom de Buffalo Bill ?
a. Buffalo
b. Bill
c. Cody

5 Qui a le grade le plus élevé : le lieutenant ou le capitaine ?
a. Le lieutenant
b. Le capitaine

6 Jules César est-il né par césarienne ?

a. Oui
b. Non

7 À qui appartient l'Alaska ?

a. À la Russie
b. Aux États-Unis
c. Au Canada

8 De quel livre est tiré cette citation de Mao : « La bouse de vache est plus utile que les dogmes. On peut en faire de l'engrais » ?

a. *Le petit livre rouge*
b. *La Bible*
c. *L'art de la guerre*

9 Pourquoi le débarquement de Normandie a-t-il été reporté d'une journée ?

a. Un satellite de communication était tombé en panne
b. Les conditions météorologiques n'étaient pas bonnes
c. Les soldats américains souffraient d'intoxication alimentaire

10 À quand remonte la question quotidienne « Comment allez-vous ? »

a. Aux 16e et 17e siècles, dans le sens de « Comment allez-vous à la selle ? »
b. Au temps des grandes épidémies, dans le sens de « Comment vous sentez-vous... avez-vous des symptômes ? »
c. Au début du 19e siècle, dans le sens de « Quel moyen de transport utilisez-vous ? »

RÉPONSES

1 c. Il n'y a aucune différence, le terme « tank » était un nom de code pour les chars d'assaut

Il a été donné par le colonel Ernest Swinton, de l'armée britannique, avant d'envoyer ses machines de guerre sur le front. Il voulait faire croire aux ennemis que les véhicules étaient des réservoirs d'eau et non des armes !

2 c. En novembre

La révolution d'octobre est fêtée au début du mois de novembre. Cette date correspond à la fin du mois d'octobre dans le calendrier julien, date à laquelle Lénine et les bolcheviks ont renversé le gouvernement, en 1917.

3 b. Sur l'île d'Alcatraz dans la baie de San Francisco

La prison d'Alcatraz est située à moins de trois kilomètres des côtes californiennes, dans l'ouest des États-Unis. La prison a été fermée en 1963 en raison des coûts exorbitants, non seulement de fonctionnement, mais aussi d'entretien. Aujourd'hui, c'est un site historique.

4 c. Cody

Buffalo Bill, l'une des figures emblématiques de la conquête de l'Ouest, s'appelait William Frederick Cody (1846-1917). Alors qu'il était chasseur de bisons, Cody participa à un match qui consistait à tuer, au cours d'une journée, le plus grand nombre de bisons (*buffalo* en anglais). Cody remporta la compétition avec un score de 69 bisons abattus, contre 46 pour son adversaire Bill Cormstock. Cody gagna alors le titre de Buffalo Bill.

5 b. Le capitaine

Le lieutenant est un militaire « tenant lieu » de chef et qui remplace ce dernier lorsque celui-ci est indisponible ou absent. Le lieutenant est le suppléant du capitaine.

6 b. Non

À l'époque, l'incision de l'utérus pour délivrer l'enfant n'était pratiquée qu'en cas de décès de la mère pendant l'accouchement. Or la mère de Jules César était encore vivante bien des années après la naissance de Jules. Il est cependant possible que ce soit l'un des ancêtres de Jules César qui soit venu au monde par césarienne (du latin *caesere*, qui signifie « inciser ») et que le nom se soit alors transmis de génération en génération. Quoi qu'il en soit, il est temps de rompre le cordon ombilical avec les idées reçues !

7 b. Aux États-Unis

Les États-Unis ont acheté l'Alaska à la Russie en 1867, pour 7,2 millions de dollars. C'est aujourd'hui une des plus grosses réserves américaines d'hydrocarbures.

8 a. *Le petit livre rouge*

Le petit livre rouge est également intitulé *Citations du président Mao Zedong*.

9 b. Les conditions météorologiques n'étaient pas bonnes

Le débarquement fut initialement prévu le 5 juin 1944, mais en raison d'une météo capricieuse ce jour-là, il fut reporté au lendemain.

10 a. Aux 16e et 17e siècles, dans le sens de « Comment allez-vous à la selle ? »

Cela se passait à la cour du roi de France. La question exacte était : « Comment allez-vous à la selle ? » Un bon transit était jadis signe de bonne santé ! C'est effectivement plutôt bon signe et on se demande d'ailleurs toujours comment ça va !

QUESTIONS

Ici et là.

1 Où les Néerlandais habitent-ils ?

a. En Nouvelle-Zélande
b. En Hollande
c. Aux Pays-Bas

2 Pourquoi l'île de Pâques s'appelle-t-elle ainsi ?

a. Parce qu'elle est surpeuplée de lapins
b. Parce qu'elle a été découverte le dimanche de Pâques
c. Parce qu'elle fut baptisée à Pâques

3 Quels pays font partie du Maghreb ?

a. Le Maroc, l'Algérie et la Tunisie
b. L'Algérie, la Tunisie et la Libye
c. Le Maroc, la Mauritanie et la Tunisie

4 Quelle est la capitale du Brésil ?

a. Rio de Janeiro
b. Sao Paulo
c. Brasília

5 Dans lesquels de ces pays africains le français est-il la langue officielle : le Bénin, la Mauritanie, le Togo, le Congo, le Gabon, et le Mali ?

a. Dans tous
b. Dans tous, sauf en Mauritanie
c. Dans tous, sauf au Mali

6 **Comment s'appelle le drapeau du Royaume-Uni de Grande-Bretagne et de l'Irlande du Nord ?**

a. L'Union Jack
b. Le Jack Banner
c. L'Union Cross

7 **Comment la ville d'Istanbul s'appelait-elle autrefois ?**

a. Byzance
b. Constantinople
c. Rome

8 **Quel pays a la plus forte densité de population au monde ?**

a. Monaco
b. Singapour
c. Corée du Sud

9 **Comment appelle-t-on les habitants des départements d'outre-mer ?**

a. Les Outre-marins
b. Les Insulaires
c. Les Domiens

10 **Dans quel pays, pour la première fois au monde, une femme a-t-elle été nommée premier ministre ?**

a. En Suède
b. En Allemagne
c. Au Sri Lanka

RÉPONSES

1 **c. Aux Pays-Bas**

Les Néerlandais sont les habitants des Pays-Bas (*Nederland* en néerlandais). Et la Hollande est une ancienne région des Pays-Bas. Plus de la moitié des Néerlandais vivent sur des terres situées sous le niveau de la mer... aux Pays-bas !

Pour la petite histoire : Il y a quelques siècles, la Hollande assurait la quasi-totalité du commerce extérieur du pays. Pour les négociants étrangers, les marchands néerlandais étant pour la plupart Hollandais, l'habitude fut prise de parler de la Hollande et des Hollandais pour désigner l'ensemble des Pays-Bas et les Néerlandais.

2 **b. Parce qu'elle a été découverte le dimanche de Pâques**

L'île de Pâques a été découverte un dimanche de Pâques, le 5 avril 1722, par un navigateur néerlandais, du nom de Jacob Roggeveen.

3 **a. Le Maroc, l'Algérie et la Tunisie**

L'Occident nord-africain est le Maghreb (soleil couchant) par opposition au Machreq (le levant).

4 **c. Brasília**

5 **b. Dans tous, sauf en Mauritanie**

La langue officielle de la Mauritanie est l'arabe. Le français y est cependant utilisé.

6 **a. L'Union Jack**

Ce drapeau est composé de : la croix de Saint-Georges (croix rouge sur fond blanc) pour représenter l'Angleterre, la croix de Saint-André (diagonales blanches sur fond bleu) pour représenter l'Écosse, et enfin, la croix de Saint-Patrick (diagonales rouges sur fond blanc) pour représenter l'Irlande.

7 **a. Byzance**
b. Constantinople

Istanbul s'appelait Byzance durant l'Antiquité, puis Constantinople à partir de l'an 324, et enfin Istanbul dès 1453 (bien que son nom ne sera officialisé qu'en 1930). Et pour la petite info : Les habitants d'Istanbul s'appellent les Stambouliotes.

8 **a. Monaco**

Sa densité de population dépasse les 16 200 habitants au km^2, et sa superficie n'est que de 2 km^2. Singapour vient en 2e place avec environ 6 750 habitants/km^2.

9 **c. Les Domiens**

Les habitants et les personnes originaires des départements d'outre-mer (DOM) s'appellent les Domiens.

10 **c. Au Sri Lanka**

Il s'agit de Sirimavo Bandaranaike, élue pour la première fois premier ministre, en 1960. Sa fille, Chandrika Kamaratunga fut présidente de la République de 1994 à 2005.

QUESTIONS

Ce n'est pas de la « haute culture ». Vrai ou faux ?

1 Les femmes ont plus de matière grise que les hommes.

a. Vrai
b. Faux

2 La sueur des hippopotames est rose.

a. Vrai
b. Faux

3 La mer est bleue.

a. Vrai
b. Faux

4 Une gomme à mâcher peut rester collée aux intestins.

a. Vrai
b. Faux

5 Le café à l'américaine est plus fort en caféine que l'expresso italien.

a. Vrai
b. Faux

6 **Les pâtes cuisent plus vite dans de l'eau salée.**

a. Vrai
b. Faux

7 **On pèse plus lourd aux pôles qu'à l'équateur.**

a. Vrai
b. Faux

8 **L'appendice ne sert à rien.**

a. Vrai
b. Faux

9 **Le thé de Ceylan vient du Sri Lanka.**

a. Vrai
b. Faux

10 **Il est impossible de fredonner si on se bouche le nez... Répondez avant d'essayer.**

a. Vrai
b. Faux

RÉPONSES

1

a. Vrai
Notre cerveau est composé de matière grise (40 %) et de matière blanche (60 %). Schématiquement, la matière grise assure le traitement de l'information et la matière blanche véhicule les données. Bien que, chez les femmes, le cerveau soit généralement plus petit que chez les hommes, la proportion de matière grise y est plus importante. Attention, ceci ne prouve pas qu'elles soient plus intelligentes !

2

b. Faux
Les pores de la peau sécrètent un liquide rose, mais ce n'est pas de la sueur. Ce fluide sert à lubrifier le cuir de la peau pour permettre aux hippopotames de mieux glisser dans l'eau.

3

a. Vrai
On dit souvent que la mer est transparente et qu'elle nous semble bleue, car le ciel se reflète dedans. Mais l'eau est vraiment bleue, incroyablement claire, certes, mais bel et bien bleue. Les molécules d'eau absorbent une partie de la lumière (les longueurs d'onde correspondant au rouge et au jaune), pour renvoyer majoritairement des ondes correspondant au bleu. Plus la mer est profonde, plus le nombre de molécules est important, et plus la couleur est marquée, comme au milieu des océans, par exemple. À l'inverse, il n'y a pas assez de molécules dans un verre d'eau pour percevoir une couleur bleue. Quant à la teinte verdâtre des zones côtières, elle est due à la présence de chlorophylle dans le phytoplancton.

4

b. Faux
Si la gomme à mâcher adhère parfaitement aux chaussures et aux dessous des tables d'écoliers, il n'en est rien dans les intestins, car les parois de notre organisme sont très humides. Essayez de coller une gomme à mâcher dans un verre d'eau !

5 **a. Vrai**

Le café serré est certes plus fort en goût, mais pas en caféine. Au contact de l'eau, le café libère sa caféine. Un café allongé (avec beaucoup d'eau) a donc une concentration plus élevée en caféine qu'un café serré.

6 **a. Vrai**

La température d'ébullition de l'eau salée est supérieure à 100 °C (point d'ébullition d'une eau pure). L'eau aura mis plus de temps à atteindre son point d'ébullition, mais plongées dans une eau plus chaude, les pâtes vont cuire plus rapidement. À chacun sa recette !

7 **a. Vrai**

Le poids affiché sur un pèse-personne varie en fonction de la force d'attraction gravitationnelle. Celle-ci étant plus faible au niveau de l'équateur, on y paraît plus léger sur la balance. Malheureusement, ça ne vaut pas un petit régime, car la différence n'est que de 0,7 %.

8 **b. Faux**

Contrairement à ce que l'on a longtemps cru, l'appendice n'est pas qu'un simple résidu d'organe qui aurait disparu au cours de l'évolution humaine. Selon des études récentes, l'appendice a un rôle immunitaire (car il produit des immunoglobulines), et il serait également utile à la digestion.

9 **a. Vrai**

Ceylan est l'ancien nom de l'île aujourd'hui appelée Sri Lanka, et située dans l'océan Indien, au sud de l'Inde.

10 **a. Vrai**

Mais la plupart d'entre vous avez certainement déjà essayé, avant de regarder la réponse !

QUESTIONS

Les nouvelles technologies.

1 Quelles sont les origines de l'@ dans les adresses de courriers électroniques ? (Plusieurs choix sont corrects.)

a. Au Moyen-Âge, les moines copistes utilisaient le @ comme abréviation de *ad* (« à » ou « vers »)
b. Au 16e siècle, c'était une unité de poids
c. Au 19e siècle, aux États-Unis, c'était une abréviation de *at* (« à »)

2 En quelle année a été envoyé le premier pourriel (spam) ?

a. En 1978
b. En 1984
c. En 1989

3 Quelles sont, dans l'ordre, les couleurs du logo « Google » ?

a. Bleu - rouge - jaune - bleu - vert - rouge
b. Bleu - vert - rouge - bleu - rouge - jaune
c. Bleu - jaune - bleu - vert - rouge - jaune

4 Que désigne le terme « geek » ?

a. Un passionné d'Internet
b. Un avatar
c. Un inconditionnel des jeux en ligne

5 **En quelle année la première souris a-t-elle montré le bout de sa queue ?**

a. En 1968
b. En 1973
c. En 1979

6 **Que signifie l'abréviation « dpi » ?**

a. Définition Par Image
b. Dot Per Inch
c. Dozen Pixel in Inch

7 **Combien d'octets fait un kilo-octet ?**

a. 100 octets
b. 1 000 octets
c. 1 024 octets

8 **Pourquoi les ordinateurs portables s'appellent-ils *laptops* ?**

a. Parce qu'ils se posent sur les genoux
b. Parce qu'ils ont été conçus en Laponie
c. Parce qu'un chien d'appartement est un *lapdog*

9 **C'est Brian Eno du groupe U2 qui a composé le son de démarrage de Windows 95. Vrai ou faux ?**

a. Vrai
b. Faux

10 **En 2010, quel âge a fêté la première page Web ?**

a. Ses 10 ans
b. Ses 15 ans
c. Ses 20 ans

RÉPONSES

1 **b. Au 16e siècle, c'était une unité de poids**
c. Au 19e siècle, aux États-Unis, c'était une abréviation de *at* (« à »)
Au 16e siècle, *l'arroba* (probablement issu de l'arabe *ar-roub* qui signifie « le quart ») était une unité de poids (12,780 kg) utilisée notamment par les marchands vénitiens. *L'arroba* était symbolisé par le sigle @. Au 19e siècle, aux États-Unis, le @ était présent sur les claviers des machines à écrire. C'était une abréviation de *at* (« à ») comme par exemple : 2 bottes @ 15$... d'où le nom « a commercial » toujours utilisé aujourd'hui au Québec ! Lorsque Ray Tomlinson inventa le courrier électronique, il lui fallait un caractère présent sur les claviers, mais rarement utilisé. Le @ fut tout trouvé, car il était tombé en désuétude. Concernant l'hypothèse (souvent avancée) des moines copistes, aucune trace écrite ne vient étayer cette théorie.

2 **a. En 1978**
Le premier pourriel (spam) en tant que courrier publicitaire non sollicité a été envoyé le 3 mai 1978, soit 7 ans après l'invention du courrier électronique. La société informatique DEC a ainsi convié pas moins de 393 personnes à venir découvrir une nouvelle machine.

3 **a. Bleu – rouge – jaune – bleu – vert – rouge**

4 **a. Un passionné d'Internet**
Selon la définition du dictionnaire *Petit Larousse 2010*, un ou une geek (qui se prononce « guik ») est une personne passionnée par les technologies de l'information et de la communication, en particulier par l'Internet. Pour la petite info, ce terme vient de l'allemand *geck* qui désignait, au Moyen-Âge, le fou du village.

5 **a. En 1968**

La souris a été imaginée en 1963 et présentée officiellement au public en 1968 par Douglas Engelbart, du Stanford Research Institute, en Californie.

6 **b. Dot Per Inch**

Dpi signifie « Dot Per Inch », traduit en français par « ppp » pour « point par pouce ». La résolution d'une image se mesure en dpi, c'est-à-dire le nombre de pixels (*picture element* ou point élément) par pouce carré (2,54 cm^2).

7 **b. 1 000 octets**

Un kilo-octet ne vaut pas 1 024 octets. Cette erreur de langage est très largement répandue. Le système décimal (1, 10, 100, 1000...) ne correspond pas au système binaire (0,1). En informatique, l'information s'exprime en puissance de 2, et la valeur qui se rapproche le plus de 1 000 est 2^{10} (soit 1 024)... d'où l'utilisation du terme kilo-octet pour désigner 1 024 octets. ERREUR ! Selon le Bureau International des Poids et Mesures, la notion de kilo est officiellement 10^3. Donc 1 kilo-octet = 10^3 octets soit 1 000 octets. Le préfixe correspondant à 2^{10} est kibi. Un kibioctet est égal à 1 024 octets.

8 **a. Parce qu'ils se posent sur les genoux**

Ils se posent sur les genoux et non sur le bureau (*desktop*).

9 **a. Vrai**

Et pour la petite anecdote, il l'aurait composé sur un Macintosh.

10 **c. Ses 20 ans**

La première page date de 1990.

QUESTIONS

Mettez-vous à l'œuvre !

1 Pourquoi n'y a-t-il pas de batterie dans les 50 premières secondes de la chanson *Hey Jude* des Beatles ?

a. Parce que, lors de l'enregistrement, Ringo Starr était discrètement parti aux toilettes
b. Parce que l'arrangeur des Beatles avait une otite ce jour-là
c. Parce que du café avait coulé sur la partition du batteur

2 En combien de langues et dialectes a été traduit *Le Petit Prince* d'Antoine de Saint-Éxupéry ?

a. En 60 langues et dialectes
b. En 120 langues et dialectes
c. En 210 langues et dialectes

3 Arrivait-il à Charlie Chaplin de gagner des concours de sosies de Charlot ?

a. Oui, mais pas toujours
b. Non, il n'a jamais remporté un seul concours
c. Il n'a jamais osé y participer

4 De quelle fable de La Fontaine est tirée la morale suivante : « La raison du plus fort est toujours la meilleure » ?

a. Le corbeau et le renard
b. Le loup et l'agneau
c. Le coq et le renard

5 Que raconte la chanson *Say it ain't so, Joe* de Murray Head ?

a. Une histoire d'amour qui finit mal
b. Un scandale sportif chez les Black Sox
c. Un mauvais délire sous LSD

6 Le célèbre Don Juan a-t-il vraiment existé ?
a. Oui
b. Non

7 Où sont passées *Les demoiselles d'Avignon* ?

a. À Avignon
b. À Paris
c. À New York

8 Quel est le titre de la chanson dans laquelle Robert Charlebois rend hommage à sa ville natale ?

a. *Lindberg*
b. *Je reviendrai à Montréal*
c. *Paris sans toi*

9 Combien de jours faudrait-il pour admirer pendant seulement deux minutes chacune des œuvres exposées au musée du Louvre ?

a. 20 jours
b. 50 jours
c. 111 jours

10 Combien de fois Rodin a-t-il été recalé au concours d'entrée de l'École des Beaux-Arts ?

a. 1 fois
b. 2 fois
c. 3 fois

RÉPONSES

1 **a. Parce que, lors de l'enregistrement, Ringo Starr était discrètement parti aux toilettes**
Paul McCartney n'avait pas remarqué que Ringo Starr, le batteur, s'était absenté. Il a alors démarré son enregistrement de voix et piano. Lorsque Ringo est revenu (tout aussi discrètement qu'il était parti), il s'est installé derrière sa batterie et il a commencé à jouer... à la fin du deuxième couplet.

2 **c. En 210 langues et dialectes**
L'œuvre a été publiée pour la première fois en 1943...
À quand une édition sur l'astéroïde B612 ?

3 **a. Oui, mais pas toujours**
Lors d'un concours organisé au Théâtre de San Francisco, Charlie Chaplin n'avait même pas été sélectionné pour la finale. Il aurait par la suite déclaré à un journaliste : « J'ai envie de donner des leçons de marche de Charlot [...] car je commence à désespérer de le voir marcher correctement. »

4 **b. Le loup et l'agneau**
« Car c'est double plaisir de tromper le trompeur » est la morale du coq et du renard.
Quant à celle du corbeau et du renard, il s'agit de : « Apprenez que tout flatteur vit aux dépens de celui qui l'écoute. »

5 **b. Un scandale sportif chez les Black Sox**
Say it aint't so, Joe date de 1976. Un scandale venait d'éclater chez les Black Sox. Joe Jackson et quelques-uns de ses coéquipiers furent accusés de faire perdre volontairement des matchs à leur équipe de Chicago. Joe fut alors exclu du baseball professionnel.

6 **b. Non**

Le personnage de Don Juan, jouisseur et séducteur de ces dames, est un mythe littéraire, bien qu'un certain Sévillan du nom de Don Juan Tenorio ait vraiment existé... C'est un peu comme Dracula.

7 **c. À New York**

Le tableau *Les demoiselles d'Avignon* (peint en 1907 par Pablo Picasso) est maintenant à New York au MoMA (Museum of Modern Arts).
Pour la petite histoire, le tableau devait initialement s'intituler *Le bordel d'Avignon*, non pas du nom de la ville française d'Avignon, mais de celui d'une rue de Barcelone (la Carrer d'Avinyó) en Espagne... une rue réputée pour ses maisons closes.

8 **b. *Je reviendrai à Montréal***

« Je reviendrai à Montréal, dans un grand Boeing bleu de mer, j'ai besoin de revoir l'hiver, et ses aurores boréales. »

9 **c. 111 jours**

30 000 œuvres sont exposées au musée du Louvre à Paris. À raison de 2 minutes par œuvre, et 9 heures par jour, il faudrait 111 jours pour toutes les admirer !

10 **c. 3 fois**

Rodin, le célèbre sculpteur (à qui l'on doit notamment *Le penseur*) a été recalé 3 fois au concours d'entrée de l'École des Beaux-Arts !

QUESTIONS

Spécial Astérix et Obélix.

1 En quelle année ont commencé les aventures d'Astérix et Obélix ?

a. En 1959
b. En 1969
c. En 1979

2 Comment s'appelle le premier album paru en 1961 ?

a. *Les aventures d'Astérix et Obélix*
b. *Obélix et la potion magique*
c. *Astérix le Gaulois*

3 En quelle année se déroulent les aventures d'Astérix et Obélix ?

a. 50 ans avant Jésus-Christ
b. 50 ans après Jules César
c. Moins le quart avant Jésus-Christ

4 Comment s'appelle la mère d'Obélix ?

a. Gélatine
b. Praline
c. Caféine

5 Quel personnage est la caricature de Sean Connery dans *L'Odyssée d'Astérix* ?

a. Zérozérosix
b. MacDosix
c. Télus

6 Comment s'appelle le chien d'Obélix ?

a. Patracourcix
b. Papeurdurix
c. Idéfix

7 Quel célèbre groupe de rock est caricaturé dans *Astérix chez les Bretons* ?

a. Les Beatles
b. Les Rolling Stones
c. Pink Floyd

8 Combien a-t-il fallu de kilogrammes de papier pour réaliser l'album *Astérix et Cléopâtre* ?

a. 18 kg
b. 28 kg
c. 38 kg

9 Dans *Astérix et Cléopâtre*, que veut construire Cléopâtre en l'honneur de César ?

a. 5 pyramides en 5 mois
b. Un palais en 3 mois
c. 100 dolmens en 100 jours

10 Parmi les propositions suivantes, quels albums ont donné lieu à une adaptation cinématographique ?

a. *Astérix et Obélix contre César*
b. *Astérix et Obélix : Mission Cléopâtre*
c. *Astérix aux Jeux olympiques*

RÉPONSES

1 a. En 1959

Créés par René Goscinny et Albert Uderzo, les irrésistibles Gaulois ont fait leur apparition dans les pages du premier numéro de l'hebdomadaire *Pilote*. Cinquante ans plus tard, en 2009, Uderzo concocta *L'anniversaire d'Astérix et Obélix, le livre d'or*.

2 c. *Astérix le Gaulois*

3 a. 50 ans avant Jésus-Christ

Dans nos livres d'histoire, c'est en 52 avant J.-C. qu'a eu lieu la défaite de Vercingétorix face à Jules César, lors de la bataille d'Alésia, opposant les Gaulois et les Romains. Par toutatis ! Astérix et Obélix n'ont, semble-t-il, jamais entendu parler de cette histoire. Ils vivent en 50 avant J.-C., et nos irréductibles Gaulois résistent encore et toujours à l'envahisseur !

4 a. Gélatine

Voici quelques variantes à l'étranger : Vanilla (en anglais), Popelin (en allemand) et Gelatina (en espagnol).

Gélatine porte une jupe aux bandes bleues et blanches. Quant à Praline (Sarsaparilla en anglais), c'est la maman d'Astérix. Elle porte un petit chandail noir et une jupe rouge.

5 a. Zérozérosix

... ou Dubbelosix, en anglais. Dans *L'Odyssée d'Astérix*, on retrouve un druide espion, sous les traits d'un Sean Connery aux allures de James Bond. Zérozérosix fut nommé druide après avoir passé et raté 6 fois (006 fois) l'examen pour obtenir les droits druidiques.

6 c. Idéfix

Le petit chien de race indéterminée a été baptisé « Idéfix » suite à un concours dans le journal *Pilote*. Les auteurs avaient soumis plusieurs propositions telles que Patracourcix et Papeurdurix. Pour la petite anecdote, Idéfix ne supporte pas que l'on abatte les arbres. Écologix, non ?

7 a. Les Beatles

... « des bardes très populaires » ! Les Beatles y sont caricaturés, signant des autographes à des admirateurs déchaînés. Dans les aventures d'Astérix et Obélix, on retrouve aussi *Elvis Preslix* et les Rolling Menhirs...

8 c. 38 kg

Il aura fallu exactement :

14 litres d'encre de Chine, 30 pinceaux, 62 crayons gras à mine, 1 crayon à mine dure, 27 gommes à effacer, 38 kilos de papier, 16 rubans de machine à écrire, 2 machines à écrire, 67 litres de bière, selon l'annonce de la publication parue dans *Pilote*... un clin d'œil à la production pharaonique du film *Cléopâtre* de Joseph L. Mankiewicz (1963) avec Élizabeth Taylor. Même l'affiche du film est parodiée par la couverture de l'album *Astérix et Cléopâtre* !

9 b. Un palais en 3 mois

Jour pour jour ! C'est mission impossible pour l'architecte Numérobis, à qui la reine a confié le projet. Pour la première fois, Obélix sera autorisé à boire quelques gouttes de la potion magique.

10 a. *Astérix et Obélix contre César*
b. *Astérix et Obélix : Mission Cléopâtre*
c. *Astérix aux Jeux olympiques*

C'était dans l'ordre des propositions en 1999, en 2002 et en 2008. *Astérix chez les Bretons* sera la quatrième adaptation cinématographique des aventures d'Astérix et Obélix.

QUESTIONS

C'était hier...

1 **Cette année-là..., Lucienne Dugard chante *Un jour mon Prince viendra*, Superman fait ses premières apparitions, la reine d'Angleterre inaugure le plus grand paquebot du monde (le *Queen Élisabeth*).**

a. 1920
b. 1938
c. 1945

2 **Cette année-là..., l'Irlande légalise le divorce, les M&M's deviennent bleus, Tom Hanks remporte l'Oscar du meilleur acteur pour son interprétation dans *Forrest Gump*.**

a. 1988
b. 1992
c. 1995

3 **Cette année-là..., Michael Jackson fait son *Thriller*, Yannick Noah remporte Roland Garros, le record de la température la plus basse est enregistré en Antarctique avec un petit 89,2 °C au-dessous de zéro. Brrrr...**

a. 1983
b. 1986
c. 1989

4 **Cette année-là..., Martin Luther King organise une marche de la liberté à Washington, le téléphone rouge relie la Maison-Blanche au Kremlin, John F. Kennedy est assassiné à Dallas.**

a. 1959
b. 1963
c. 1967

5 **Cette année-là..., le traité de Versailles est signé, le maillot jaune fait son premier tour de France, l'ex-président des États-Unis, Theodore Roosevelt, décède.**

a. 1919
b. 1922
c. 1930

6 **Cette année-là…, le bikini fait scandale, l'ONU fonde l'OMS (Organisation mondiale de la santé), c'est la première édition du Festival de Cannes.**

a. 1940
b. 1946
c. 1953

7 **Cette année-là…, l'euro entre en circulation dans douze pays européens, *Le fabuleux destin d'Amélie Poulain* remporte le César du meilleur film, le SRAS (syndrome respiratoire aigu sévère) se propage.**

a. 2000
b. 2002
c. 2004

8 **Cette année-là…, Lady Diana meurt dans un tragique accident de voiture, Barack Obama est élu sénateur de l'État de l'Illinois et Dolly, la brebis, est le premier mammifère cloné.**

a. 1992
b. 1995
c. 1997

9 **Cette année-là…, Dustin Hoffman est Rain Man, les Jeux olympiques d'été se déroulent à Séoul en Corée du Sud, George Bush est élu président des États-Unis.**

a. 1988
b. 1991
c. 1995

10 **Cette année-là…, le McDonald's arrive en France, Sony lance le Walkman, c'est le premier lancement de la fusée Ariane à Kourou en Guyane.**

a. 1975
b. 1979
c. 1982

RÉPONSES

1 **b. 1938**
Cette année-là, Hitler est élu « homme de l'année » et il fait la une du *Times*. La distinction « homme de l'année » est attribuée par le *Times* depuis 1927. Elle désigne une personnalité marquante de l'année écoulée, que ce soit en bien ou en mal.

2 **c. 1995**
Cette année-là, le *Concorde* fait le tour du monde
en 31 heures 27 minutes et une vingtaine de secondes.

3 **a. 1983**
Cette année-là, la tour Eiffel enregistre son 100 millionième visiteur !

4 **b. 1963**
Cette année-là, les Rolling Stones sortent leur premier quarante-cinq tours, intitulé *Come on*.

5 **a. 1919**
Cette année-là, le premier vol commercial international régulier est né. Il relie Paris à Londres et peut transporter 10 passagers.

6 **b. 1946**
Cette année-là, c'est le début officiel de la guerre froide. Winston Churchill utilise pour la première fois l'expression « rideau de fer ».

7 **b. 2002**
Cette année-là, la Belgique autorise l'euthanasie.

8 **c. 1997**
Cette année-là, le champion du monde d'échecs, Garry Kasparov est battu par Deeper Blue, un ordinateur élaboré par les ingénieurs d'IBM.

9 **a. 1988**
Cette année-là, l'année est exceptionnelle pour les vins de Bordeaux et de Bourgogne.

10 **b. 1979**
Cette année-là, mère Teresa reçoit le prix Nobel de la paix.

QUESTIONS

Le petit et le grand écran sont à l'affiche !

1 Quelle langue parlent les Na'vis de James Cameron dans son film intitulé *Avatar* ?

a. C'est une langue spécialement conçue par des linguistes pour ce film
b. C'est un véritable dialecte de Papouasie
c. Les acteurs inventaient leur texte au fur et à mesure

2 Où a été tourné le film *Le bon, la brute et le truand* de Sergio Leone ?

a. En Arizona
b. En Andalousie
c. Au Québec

3 Quelle est la fonction d'un ventouseur lors des tournages cinématographiques ?

a. Il réserve des places de stationnement
b. Il fait de la plomberie
c. Il s'occupe des toilettes mobiles

4 Parmi ces acteurs, lequel a joué dans les six épisodes de *Star Wars* ?

a. Anthony Daniels, dans le rôle du robot C-3PO
b. David Prowse, dans le rôle de Dark Vador (Darth Vader, dans la version originale)
c. Serge Lhorca, pour la voix de Yoda

5 Quel était sur le surnom d'Al Capone ?

a. Scarface
b. Iron man
c. Oncle Capone

6 Combien y a-t-il eu de films *Mission impossible* ?

a. Un seul
b. 3
c. 5

7 Quel est le métier du véritable James Bond..., celui à qui l'espion des services secrets britanniques doit son patronyme ?

a. Journaliste
b. Ornithologue
c. Policier

8 Depuis quand *Les hommes préfèrent les blondes* ?

a. Le film est sorti en 1953
b. Le film est sorti en 1967
c. Les hommes n'ont jamais préféré les blondes

9 En quelle année *Dieu créa la femme* ?

a. En 1956
b. En 1968
c. En 1973

10 Quel est le titre original du film *10 choses que je déteste de toi* (au Québec) et *10 bonnes raisons de te larguer* (en France) ?

a. *Ten minutes left*
b. *Ten things I hate about you*
c. *Ten reasons why I dump you*

RÉPONSES

1 a. C'est une langue spécialement conçue par des linguistes pour ce film

James Cameron souhaitait que cette langue puisse être prononcée facilement par les acteurs, tout en étant le plus possible éloignée de toute langue parlée sur terre. Les linguistes ont ainsi créé plus de 1 000 mots : « bonjour » se dit *kaltxi*, « merci » : *irayo*, « pourquoi » : *lumpe* et « baiser » : *pom*.

2 b. En Andalousie

Le bon, la brute et le truand (1966) a été tourné en Espagne dans le désert de Tabernas en Andalousie (Espagne). *Pour une poignée de dollars* a également été tourné dans ce désert qui ressemble aux paysages de l'Arizona. C'est aussi le cas de certaines scènes de *Il était une fois dans l'Ouest*... Comme quoi, il était aussi une fois dans le sud... de l'Espagne !

3 a. Il réserve des places de stationnement

Le ventouseur siège dans la rue dès la veille du tournage à l'emplacement prévu des véhicules de tournage, et dès qu'une voiture libère une place, il la réserve, soit à l'aide d'un autre véhicule, appelé *véhicule-ventouse*, soit avec des barrières ou des cônes de signalisation.

4 a. Anthony Daniels, dans le rôle du robot C-3PO

Dans les six épisodes de *Star Wars* (dont le tournage s'est étalé sur 30 ans), Anthony Daniels, sous son armure, incarne le rôle du robot C-3PO. Que la force soit avec lui !

5 a. Scarface

Al Capone (1899-1947) était surnommé Scarface (le balafré) en raison de la cicatrice qu'il avait sur le visage. Pour la petite histoire : son frère était policier dans le Nebraska.

6 **b. 3**

Il s'agit de *Mission impossible* (en 1996, réalisé par Brian de Palma), *Mission impossible II* (2000, John Woo) et *Mission impossible III* (2006, J.J. Abrams). Un quatrième film intitulé *Mission impossible IV*, réalisé par Brad Bird, devrait sortir en salle en 2011... et l'acteur principal sera à nouveau Tom Cruise.

7 **b. Ornithologue**

En 1952, Ian Fleming (passionné d'ornithologie) donne à son héros le nom de James Bond, auteur d'un ouvrage de référence sur les oiseaux des Indes occidentales (*A field guide to the birds of West indies*). Pour la petite anecdote, cet ouvrage est lu par James Bond, l'espion, dans une scène de *Octopussy* (en 1983) et dans une scène de *Meurs un autre jour* (en 2002).

8 **a. Le film est sorti en 1953**

Les hommes préfèrent les blondes (*Gentlemen prefer blondes*) a été réalisé par Howard Hawks.

9 **a. En 1956**

Et Dieu... créa la femme est un film culte de 1956, réalisé par Roger Vadim, avec Brigitte Bardot et Jean-Louis Trintignant.

10 **b. *Ten things I hate about you***

Le titre original du film *10 choses que je déteste de toi* (au Québec) et *10 bonnes raisons de te larguer* (en France) est *Ten things I hate about you*, réalisé par Gil Junger en 1999.

QUESTIONS

À vous de jouer !

1 Pourquoi un marathon fait-il exactement 42,195 km ?

a. C'est la distance qui séparait Marathon et Athènes
b. C'est la distance qui séparait le château de Windsor et le stade olympique de Londres
c. Un marathon était une mesure de distance, du temps des Romains, et correspondait à 42,195 km

2 Que représentent les 5 anneaux des Jeux olympiques ?

a. Les 5 continents
b. Les 5 doigts de la main
c. 5 des dieux grecs

3 Que signifie le mot « pétanque » en provençal ?

a. Pointer
b. Boule de métal
c. Pieds joints

4 Pourquoi le maillot jaune du Tour de France est-il jaune ?

a. Parce que les pages du journal qui avait créé le Tour de France étaient jaunes
b. Parce que le premier vainqueur du Tour de France venait des îles Canaries
c. Parce que le jaune, c'est la couleur de l'or

5 Combien pèse au maximum une lutteuse de sumo dans la catégorie amateur des poids légers ?

a. 65 kg
b. 85 kg
c. 115 kg

6 Quelle est la consommation de carburant d'une voiture de formule 1 ?

a. Entre 30 et 40 litres aux 100 km
b. Entre 50 et 60 litres aux 100 km
c. Entre 70 et 80 litres aux 100 km

7 Trouver l'intrus : football, basket-ball, hand-ball.

a. Football
b. Basket-ball
c. Hand-ball

8 D'où vient le mot « tennis » ?

a. De l'injonction « Tenez ! »
b. Des chaussures de la marque Tennis, utilisées pour jouer
c. De Denis Trend, l'inventeur du jeu

9 Combien de trous y a-t-il dans un parcours de golf ?

a. 17 trous
b. 18 trous
c. 19 trous

10 Pourquoi les vainqueurs de Formule 1 arrosent-ils tout le monde de champagne quand ils sont sur le podium ?

a. Parce que les championnats du monde ont toujours lieu à Reims (ville surnommée « la capitale du champagne »)
b. Sur le podium des 24 heures du Mans, en 1966, le champagne offert au vainqueur était tellement chaud qu'à l'ouverture de la bouteille le champagne a littéralement jailli
c. C'est un symbole de vitesse

RÉPONSES

1 **b. C'est la distance qui séparait le château de Windsor et le stade olympique de Londres**

Lors des 3 premières olympiades, le marathon était disputé sur une distance d'environ 42 km. En 1908, lors des Jeux olympiques de Londres, la ligne de départ était au château de Windsor et la ligne d'arrivée, au stade de White City. La distance était exactement de 42,195 km... et elle fut, dès lors, adoptée comme longueur officielle du marathon.

Pour la petite histoire, la ville de Marathon n'était qu'à 18 km d'Athènes.

2 **a. Les 5 continents**

Le drapeau avec les 5 anneaux entrelacés symbolise l'universalité des Jeux olympiques. Il flotta pour la première fois aux Jeux d'Anvers en 1920. Chaque pays du monde, à la création du drapeau, retrouvait au moins une couleur de son drapeau national sur celui des Jeux (bleu, jaune, noir, vert et rouge sur fond blanc).

3 **c. Pieds joints**

« Pétanque » vient de l'occitan *pès* (qui veut dire « pieds ») et *tancar* (qui veut dire « fermer »). Le joueur doit avoir les pieds joints pour lancer la boule.

4 **a. Parce que les pages du journal qui avait créé le Tour de France étaient jaunes**

C'est le journal sportif *L'Auto* qui est à l'origine du Tour de France. Un jour, une étape, un article... et voilà la combinaison gagnante sur les tirages du journal ! C'était en 1902. Mais à cette époque, rien ne distinguait, dans le peloton, le cycliste qui était le premier au classement. Pour y remédier, en 1919, le maillot jaune fut créé... jaune comme la couleur des feuilles du journal.

Pour la petite info : le maillot du meneur du Tour d'Italie est rose comme les pages du journal organisateur de la course, *la Gazzetta dello sport*.

5 a. 65 kg

Il y a trois catégories de lutteurs amateurs de sumo : poids léger, poids moyen et poids lourd. Pour les femmes, les poids selon la catégorie sont respectivement : 65 kg, entre 65 et 80 kg, et plus de 80 kg. Pour les hommes, c'est moins de 85 kg, entre 85 et 115 kg et plus de 115 kg.

6 c. Entre 70 et 80 litres aux 100 km

7 b. Basket-ball

Le « ball » ne se prononce pas de la même manière. On devrait dire « footb[o]ll » « basket- b[o]ll » « volley-b[o]ll»... mais « hand-b[a]ll» et non « hand-b[o]ll ». Pourquoi ? Tout simplement parce que les trois premiers sports sont anglais ou américains, tandis que le hand-ball est d'origine allemande.

8 a. De l'injonction « Tenez ! »

Le jeu de paume, très prisé en France, est à l'origine du tennis. Au moment de servir, les joueurs criaient en vieux français « Tenetz ! » (signifiant « tenez », « tenez-vous prêts »).

Le jeu traversa la Manche, et par déformation phonétique, les Anglais le baptisèrent « tennis ».

9 b. 18 trous

Le trou n°19 désigne le bar. C'est un peu comme la troisième mi-temps au soccer (football).

10 b. Sur le podium des 24 heures du Mans, en 1966, le champagne offert au vainqueur était tellement chaud qu'à l'ouverture de la bouteille le champagne a littéralement jailli

La tradition d'offrir du champagne au vainqueur remonte au premier championnat du monde de Formule 1, en 1950. Il se déroulait dans la ville de Reims. Depuis, un jéroboam (bouteille de trois litres) est toujours offerte sur les podiums. En 1967, l'année suivant l'incident, le vainqueur secoua volontairement la bouteille pour offrir une douche de cham pagne à ses voisins... la tradition était née !

QUESTIONS

Indiscrétions de paparazzis.

1 D'où vient le nom de Moby, le célèbre compositeur de musique électronique ?

a. De Moby Dick
b. De Music On Bit
c. Du nom de son village d'origine

2 Selon Hugh Grant lui-même, pourquoi n'est-il toujours pas marié ?

a. Parce qu'il porte des sous-vêtements troués le week-end
b. Parce qu'il est timide
c. Parce qu'il a une véritable passion pour le golf

3 En quelle année le prince Charles a-t-il épousé Camilla Parker Bowles ?

a. En 1999
b. En 2002
c. En 2005

4 Quel est le véritable nom de Bob Dylan ?

a. Marcel Dylanno
b. Robert Zimmerman
c. Dylan Bobery

5 D'où vient le nom de Lady Gaga ?

a. C'est une référence à la chanson *Radio Ga Ga* de Queen
b. C'est son surnom depuis qu'elle est enfant
c. Lady Gaga est une admiratrice de Garfield, le chat

6 Parmi les carrières suivantes, laquelle Tom Cruise n'a-t-il pas envisagée ?

a. Lutteur professionnel
b. Boulanger
c. Prêtre

7 Quel membre du gouvernement russe a sorti un DVD d'entraînement au judo ?

a. Mikhaïl Gorbatchev
b. Vladimir Poutine
c. Boris Eltsine

8 Comment s'appelle le fils de Nicolas Cage ?

a. Kal-el... le nom kryptonien de Superman
b. Elvis... comme Elvis Presley
c. Beethoven... comme Ludwig

9 Naturellement, Marilyn Monroe était-elle blonde, brune ou rousse ?

a. Blonde
b. Brune
c. Rousse

10 D'où vient le nom de Pascal Obispo ?

a. De l'anagramme du nom d'un célèbre peintre
b. C'est une déformation de « Pascal est au bistro »
c. De Pascal Michel Bispo, son vrai nom

RÉPONSES

1 **a. De Moby Dick**
Les parents de Moby, de son vrai nom Richard Melville Hall, lui ont donné son petit nom en hommage à son arrière-arrière-grand-oncle, Herman Melville, l'auteur-écrivain de *Moby-Dick*.

2 **c. Parce qu'il a une véritable passion pour le golf**
Selon lui, cela fait fuir les filles. À l'aube de la cinquantaine, officiellement, il est toujours célibataire, et il aurait peur de finir seul et vieux... Il nourrit toutefois toujours l'espoir d'avoir un jour des enfants.

3 **c. En 2005**
Ils se sont mariés le 9 avril. La date avait initialement été fixée au 8 avril. Mais en raison de la mort du pape Jean-Paul II, la cérémonie a été décalée au lendemain. Camilla est surnommée « le Rottweiller ».

4 **b. Robert Zimmerman**
Les grands admirateurs d'Alain Souchon connaissent sa chanson intitulée *Les regrets*. Dans les paroles, le chanteur parle « des chansons de ma jeunesse et de Robert Zimmerman [...] ». Il s'agit de Bob Dylan.

5 **a. C'est une référence à la chanson *Radio Ga Ga* de Queen**
Le style vocal de la jeune New Yorkaise serait comparable à celui de Freddie Mercury, selon son ex-producteur, Rob Fusari, à qui l'on doit le nom de scène de Lady Gaga. Le vrai nom de l'artiste est Stefani Joanne Angelina Germanotta.

6 b. Boulanger

Avant d'être acteur, Tom Cruise (de son vrai nom Thomas Cruise Mapother IV) voulait devenir lutteur professionnel (mais une blessure au genou l'en dissuada), puis prêtre (il aurait même passé une année dans un monastère).

7 b. Vladimir Poutine

En 2008, à l'occasion de son 56e anniversaire, Vladimir Poutine, 6e dan de judo, a présenté officiellement son DVD intitulé *Apprenons le judo avec Vladimir Poutine*.

8 a. Kal-el... le nom kryptonien de Superman

Né le 3 octobre 2005, Kal El Coppola est le fils de Nicholas Coppola (alias Nicolas Cage) et d'Alice Kim. Dans le même ordre d'idées... Demi Moore et Bruce Willis auraient appelé leurs enfants Rumer Glenn, Tallulah Belle et Scout LaRue, en s'inspirant des prénoms des danseuses de cabaret dans la bande dessinée *Lucky Luke* !

9 b. Brune

Norma Jean Mortenson de son vrai nom, Marilyn Monroe s'était teinte en blonde pour débuter sa carrière de mannequin... Et c'est bien connu : les hommes préfèrent les blondes !

10 c. De Pascal Michel Bispo, son vrai nom

Pascal Obispo est l'anagramme de Pablo Picasso.

QUESTIONS

De la rumeur aux études scientifiques.

1 Quelle est la place la plus sûre dans un avion ?

a. À l'avant
b. Au milieu
c. À l'arrière

2 Quelle serait la meilleure technique pour réveiller un manchot ?

a. Lui donner une tape dans le dos
b. Crier
c. Lui marcher sur le pied

3 Comment les chauffeurs de taxis londoniens font-ils pour se repérer aussi facilement dans les rues de la capitale anglaise ?

a. Depuis les années 70, ils ont un GPS intégré dans leur voiture
b. Ils ont un hippocampe hypertrophié
c. Leur formation dure cinq ans

4 Mel Blanc, la voix originale de Bugs Bunny, mangeait-il réellement des carottes comme le lapin, tout au long des enregistrements de voix ?

a. Oui, car il adorait les carottes
b. Non, il croquait et mâchait du céleri, car il était allergique aux carottes
c. Non, après les prises de son, il recrachait les carottes

5 À quelle saison les enfants grandissent-ils plus vite ?

a. Au printemps
b. À l'automne
c. En hiver

6 Existe-t-il des couples homosexuels chez les animaux ?

a. Oui
b. Non

7 Pourquoi les pirates portaient-ils une boucle d'oreille ?

a. Pour éviter d'avoir le mal de mer
b. Pour éviter d'avoir les oreilles bouchées
c. Pour affiner leur acuité visuelle

8 Quelle est l'influence du café sur la fertilité d'une femme ?

a. Une consommation régulière de café corsé augmente la fertilité
b. La consommation de café réduit les chances de tomber enceinte
c. Le marc de café (qui reste dans le filtre) est aphrodisiaque

9 En terme d'empreinte écologique, qu'est-ce qui nuit le plus à l'environnement ?

a. Rouler en 4x4
b. Jouer à la Playstation avec un écran plasma
c. Avoir un chien domestique

10 Qu'est-ce qu'une coquille dans un journal ?

a. Une faute de frappe
b. Une petite coque de protection... juridique
c. Une note humoristique

RÉPONSES

1 c. À l'arrière

Les boîtes noires sont placées à l'arrière des appareils, car ce serait, selon les constructeurs, la partie la mieux conservée en cas d'atterrissage forcé. Mais c'est aussi à l'arrière des appareils que les places sont les moins confortables en cas de turbulences.

2 c. Lui marcher sur le pied

Selon une étude expérimentale menée par des chercheurs français dans l'océan Indien, le manchot se réveillerait lorsqu'une pression exercée sur son pied atteindrait 38 g, contre 837 g sur son dos. C'est d'ailleurs sur ses pieds que le manchot couve son œuf et protège son petit. Quant au bruit... essayez de faire plus de vacarme qu'une colonie de manchots !

3 b. Ils ont un hippocampe hypertrophié

N'y allons pas par 4 chemins ! Cette zone, située derrière les tempes, serait le siège de la mémoire dans l'espace. Selon des études scientifiques, imageries médicales à l'appui, plus les chauffeurs de taxi ont de l'expérience, plus la face postérieure de leur hippocampe droit est surdéveloppée... et moins ils se cassent la tête pour trouver le meilleur itinéraire !

4 c. Non, après les prises de son, il recrachait les carottes

Quant au céleri, le test avait été tenté, mais n'avait pas été concluant, car le bruit n'était pas du tout le même. Contrairement aux rumeurs, Mel Blanc a nié être allergique aux carottes dans une interview, en 1984, avec Tim Lawson (coauteur de *The Magic behind the voice : a who's who of cartoon voice actors*).

5 a. Au printemps

6 a. Oui

Plusieurs scientifiques se sont notamment penchés sur le cas des mouettes « lesbiennes » : elles nichent, couvent, et élèvent ensemble des oisillons... le mâle ayant alors quitté le nid familial. L'homosexualité est une pratique courante parmi de nombreuses espèces animales.

7 c. Pour affiner leur acuité visuelle

Symbole de fiançailles avec la mer, pour les uns, porte-bonheur pour préserver du naufrage pour les autres, on dit également que cet anneau était destiné au prêtre pour payer les funérailles du marin, si celui-ci venait à mourir loin de son pays. Mais plus étonnamment, on dit que les pirates se perçaient le lobe de l'oreille et portaient une créole en or pour stimuler un point d'acupuncture. Cette technique, aujourd'hui appelée auriculothérapie, leur permettait d'affiner leur acuité visuelle.

8 b. La consommation de café réduit les chances de tomber enceinte

Selon une étude américaine, une seule tasse de café par jour réduirait de moitié la fertilité de la femme... À raison de trois tasses par jour, la fertilité serait réduite de 75 %. Mais, selon la même étude, il suffirait d'arrêter totalement de boire du café pour retrouver toute sa fertilité.

9 c. Avoir un chien domestique

Son empreinte carbone serait le double d'un 4x4 (de 4,6 litres et roulant 10 000 km par an), selon deux chercheurs de l'Université de Victoria. Ces derniers ont étudié de près les émissions de gaz à effet de serre des chiens et des chats, en prenant en compte l'impact écologique de la production et fabrication des aliments spéciaux. Un chien de taille moyenne (avec une empreinte de 0,84 ha) devient moins écologique qu'un 4x4 (avec 0,41 ha). Un chat (avec 0,15 ha) vaut bien une petite voiture, et le hamster (avec 0,014 ha), un téléviseur plasma. Voici des résultats qui pourraient rendre les propriétaires d'animaux domestiques « verts de rage », non ? Vivement que les poules aient des dents !

10 a. Une faute de frappe

Il paraîtrait qu'une plaisanterie serait à l'origine de ce nom. Faire une fâcheuse erreur, c'est, dans un langage moins soutenu, « faire une couille ». En bref, tout ceci n'est qu'une « histoire de Q »... et de coQuille !

À VOS MARQUES ! PRÊTS ? PARTEZ !

QUESTIONS

Des noms et des logos qui ne s'oublient pas !

1 Devinez d'où vient le nom de la marque Guess.

a. D'une publicité pour un Big Mac
b. De l'expression « donner sa langue au chat »
c. Des créateurs qui répondaient « devinez ! » quand on leur demandait le nom de leur marque

2 Que signifie le « S » des montres Swatch ?

a. Seconde
b. Suisse
c. Security

3 Que signifie le nom de la marque Kodak ?

a. Code DAC (*Digitalize Any Captation*)
b. « KO » et « DAK » comme les sons émis par les premiers appareils
c. Rien, selon le créateur lui-même

4 Que signifie Carambar ?

a. Des carrés en barre
b. Du caramel en barre
c. Les barres de Caram (ville où étaient fabriqués les premiers bonbons)

5 Quel animal est le logo des voitures Lamborghini ?

a. Le cheval
b. La panthère
c. Le taureau

6 D'où vient Monchhichi, « le kiki de tous les kikis » ?

a. Des États-Unis
b. D'Allemagne
c. Du Japon

7 En quelle année la première société de jeux Nintendo fut-elle créée ?

a. En 1889
b. En 1921
c. En 1953

8 Que représente le logo du magazine *Playboy* ?

a. Une tête de lapin
b. Une pin-up dans une version *cartoon* (dessin animé)
c. Une machine à écrire

9 D'où vient le crocodile de la marque Lacoste ?

a. René Lacoste élevait un alligator chez lui
b. C'était le surnom du joueur de tennis
c. Il avait toujours un porte-document en peau de crocodile

10 Le point rouge du logo de Seven Up vient du fait que l'inventeur de la boisson était albinos. Vrai ou faux ?

a. Vrai
b. Faux

À VOS MARQUES ! PRÊTS ? PARTEZ !
RÉPONSES

1 a. D'une publicité pour un Big Mac
Les frères Marciano auraient vu une publicité disant *Guess what's in the new Big Mac* (devinez ce qu'il y a dans le nouveau Big Mac). *Guess* (devinez) a alors été retenu comme nom pour la marque de vêtements.

2 b. Suisse
La marque des montres Swatch vient de la contraction de « Swiss [made] Watch » : *S* pour « Suisse » et *Watch* pour « montre ».

3 c. Rien, selon le créateur lui-même
Le créateur de la marque, George Eastman, aimait la lettre « K ». En 1888, il a cherché une combinaison autour de sa lettre préférée. Il obtint KODAK.

4 b. Du caramel en barre
Les « Carambar » sont « des caramels en barres »... barres qui mesuraient 62 mm en 1954 (au début de leur fabrication) et maintenant 80 mm (depuis 1990). La barre a pris 18 mm, mais a perdu 2 g avec respectivement 10 et 8 g.

5 c. Le taureau
Le fondateur, Ferruccio Lamborghini, est fasciné par les taureaux de combat. De plus, l'animal correspond à son signe astrologique. Il n'en fallait pas moins pour choisir le taureau comme logo.

6 c. Du Japon
Créé par Koichi Sekiguchi, en 1972, le petit singe au visage rond d'une poupée et qui suce son pouce s'appelait alors Monchhichi : la contraction de *monkey* (singe) et chu-chu (le bruit de la tétine en japonais). Les Allemands l'appellent « Monchhichi », les Anglais préfèrent « Chicaboo », et les Italiens préfèrent « Mon Cicci ».

7 a. En 1889

La première société Nintendo fut créée en 1889 pour commercialiser des Karutas (une sorte de cartes à jouer).

Pour la petite info : La société s'est diversifiée dans des activités bien surprenantes, quoique anecdotiques, telles que les portions de riz individuelles, la gestion de compagnies de taxis, et même une maison close. Ce n'est que dans les années 1970 que la société Nintendo s'est tournée vers le marché des jeux vidéo.

8 a. Une tête de lapin

Le logo de *Playboy* est une tête de lapin (connotation sexuelle humoristique), portant un nœud papillon de smoking et dessinée de profil. Le logo est systématiquement caché dans le graphisme de l'image de couverture... un jeu de cache-cache pour amuser les plus fidèles lecteurs.

9 b. C'était le surnom du joueur de tennis

René Lacoste, célèbre joueur de tennis dans les années 20, était surnommé « l'Alligator » (ou parfois « le Crocodile »). Ce surnom fait suite à une anecdote racontée à un journaliste américain : si René Lacoste gagnait une match important pour son équipe, alors il recevrait une valise en peau d'alligator de la part du capitaine de l'équipe de France... de ce pari est né l'emblème.

10 b. Faux

Peut-être avez-vous déjà lu cette « information » sur Internet ? Il s'agit d'une véritable légende urbaine... Carton rouge !

« Duologie ».

1 Lion ou Poissons... Travail, amour, santé.

a. Le Lion est du mois d'août et le Poissons, du mois de mars
b. Le Poissons est du mois d'août et le Lion, du mois de mars
c. Le lion est un poisson d'avril

2 Clark Kent ou Superman.... La double personnalité de Christopher Reeve.

a. Clark Kent a la raie à gauche (pour lui) et Superman a la raie à droite
b. Clark Kent a la raie à droite, Superman a la raie à gauche et son slip par-dessus sa combinaison

3 Ken et Barbie... Pour le meilleur et pour le pire.

a. Ken et Barbie se sont mariés et n'ont jamais divorcé
b. Ken et Barbie sont restés fiancés pendant 43 ans et se sont séparés le jour de la Saint-Valentin

4 Cadet ou benjamin... Si j'avais un marteau...

a. Le benjamin est le cadet de la famille
b. Le cadet est le benjamin de la famille

5 Hémisphère gauche ou hémisphère droit... Un droitier un peu gauche !

a. L'hémisphère gauche du cerveau dirige le côté droit du corps et le droit, le gauche
b. L'hémisphère droit du cerveau dirige le côté droit du corps et le gauche, le gauche

6 Cygne ou signe...

a. « Si tu vois un canard blanc sur un lac, alors c'est un signe »
b. « Si tu vois un canard blanc sur un lac, alors c'est un cygne »

7 Cancer ou Capricorne... Sous le soleil des tropiques.

a. Le tropique du Cancer se trouve dans l'hémisphère Sud et le tropique du Capricorne, dans l'hémisphère Nord
b. Le tropique du Cancer se trouve dans l'hémisphère Nord et le tropique du Capricorne, dans l'hémisphère Sud

8 Israélien ou israélite...

a. L'Israélien vit en Israël et le terme « israélite » se rapporte à la communauté juive
b. Le terme « Israélien » se rapporte à la communauté juive et « l'israélite » vit en Israël

9 Tache ou tâche... Le but, c'est de l'enlever.

a. C'est une lourde tache que de devoir enlever une tâche sur la moquette
b. C'est une lourde tâche que de devoir enlever une tache sur la moquette

10 Mâle ou femelle... Le bouc est à la chèvre...

a. Ce que le daim est à la daine
b. Ce que le daim est à la biche

RÉPONSES

1 a. Le Lion est du mois d'août et le Poissons, du mois de mars

Plus précisément, le signe du Lion correspond à la période du 24 juillet au 23 août et le signe du Poissons, à celle du 20 février au 20 mars.

2 b. Clark Kent a la raie à droite, Superman a la raie à gauche et son slip par-dessus sa combinaison

Plusieurs adaptations ont ensuite changé la raie de côté... Mais Superman a toujours sa culotte à l'envers !

3 b. Ken et Barbie sont restés fiancés pendant 43 ans et se sont séparés le jour de la Saint-Valentin

Ils se sont fiancés en 1961 et, 43 ans plus tard, en 2004, le jour de la Saint-Valentin, ils se sont séparés !... Ce ne sont pas des potins de vedettes. L'information est confirmée par la société Mattel.

4 a. Le benjamin est le cadet de la famille

Le benjamin est le dernier-né tandis que le cadet est simplement plus jeune que les autres... L'aîné peut avoir plusieurs cadets; le plus jeune des cadets est le benjamin...

5 a. L'hémisphère gauche du cerveau dirige le côté droit du corps et le droit, le gauche

Selon certaines théories, le droitier est logique et le gaucher a de l'imagination... Cette idée aurait-elle été pensée par un gaucher et prouvée par un droitier ?

6 **b. « Si tu vois un canard blanc sur un lac, alors c'est un cygne »**
... et non un proverbe chinois.

7 **b. Le tropique du Cancer se trouve dans l'hémisphère Nord et le tropique du Capricorne, dans l'hémisphère Sud**

8 **a. L'Israélien vit en Israël et le terme « israélite » se rapporte à la communauté juive**
En hébreu, le mot « israël » se traduit par « fort comme Dieu ».

9 **b. C'est une lourde tâche que de devoir enlever une tache sur la moquette**
Tâchez de vous en rappeler !

10 **a. Ce que le daim est à la daine**
La biche est la femelle du cerf, et leur petit s'appelle « le faon »... tout comme le petit du daim et de la daine.

QUESTIONS

Petite cacophonie au sein de la francophonie.

1 Qu'est-ce qu'un clignoteur en Belgique ?

a. Une lumière qui clignote
b. Un avertisseur de changement de direction sur une voiture
c. Une luciole

2 Si un Suisse vous demande où vous avez rangé votre *foehn*, que veut-il dire ?

a. Il vous trouve triste
b. Il voudrait vous emprunter votre sèche-cheveux
c. Il cherche votre porte-monnaie

3 À Tahiti, elle court, elle court, la rumeur... mais quelle expression emploie-t-on ?

a. « C'est Radio cocotier »
b. « Télé corail est allumée »
c. « Le téléphone arabe fonctionne »

4 En créole, qu'est-ce qu'un tourment d'amour ?

a. Un gâteau fourré à la confiture de coco
b. Un bouton de fièvre (un feu sauvage)
c. « Avoir un tourment d'amour », c'est être enceinte

5 Qu'est-ce qu'un Belge qui tire son plan ?

a. Un dragueur
b. Un débrouillard
c. Un fainéant

6 En Belgique, qu'est-ce qu'un « toutes-boîtes » ?

a. Un ouvre-boîte
b. Une circulaire (prospectus gratuit) distribuée dans toutes les boîtes aux lettres
c. Un jeune qui fait le tour des boîtes de nuit (discothèques) le samedi soir

7 Au Burkina, que signifie « becqueter » quelqu'un ?

a. Lui faire des bisous
b. Lui crier dessus
c. L'arnaquer

8 Les fourres à Natel sont très populaires en Suisse. De quoi s'agit-il ?

a. Ce sont des biscuits fourrés au fromage fondu et enrobés au chocolat
b. Ce sont des pantalons à bretelles
c. Ce sont des étuis pour cellulaires (téléphones portables)

9 Pourquoi, au Québec, dit-on d'une petite amie que c'est une blonde ?

a. Parce que les blagues sur les blondes viennent du Québec
b. Parce que, jadis, au Québec, cela signifiait qu'une femme n'avait pas de sang amérindien
c. Parce que, depuis des siècles, c'est le terme employé pour désigner une femme

10 En Centrafrique, qu'est-ce qu'un « ziboulateur » ?

a. Un tire-bouchon
b. Un tricheur
c. Une bouilloire

RÉPONSES

1 b. Un avertisseur de changement de direction sur une voiture

En Belgique, on dit « clignoteur » et, en Suisse, on parle aussi bien de « clignoteur » que de « clignotant », que ce soit pour tourner à gauche ou à droite !

2 b. Il voudrait vous emprunter votre sèche-cheveux

Le *foehn* est un vent du sud, chaud et sec, qui a perdu son humidité en traversant les Alpes. Par extension, le terme désigne un « sèche-cheveux ».

3 a. « C'est Radio cocotier »

À Nouméa, on dira plutôt que c'est le « téléphone canaque » (du terme *Kanaka* qui veut dire homme en polynésien).

4 a. Un gâteau fourré à la confiture de coco

Le tourment d'amour est une spécialité des Îles des Saintes, en Guadeloupe.

5 b. Un débrouillard

« Tirer son plan » vient de la traduction littérale du flamand *zijn plan trekken*. En Suisse, on dit du Belge qui tire son plan qu'il se détortille. En Côte d'Ivoire, il fait de la débrouillardise.

6 b. Une circulaire (prospectus gratuit) distribuée dans toutes les boîtes aux lettres

7 b. Lui crier dessus

... et lui lancer des injures ! Autrement dit, c'est un faux-ami... qui ne fait pas de becs (bisous).

8 c. Ce sont des étuis pour cellulaires (téléphones portables)

Une fourre est un étui, et plus généralement un sac, une housse, ou encore une pochette. Quant à Natel, c'était l'une des premières marques de téléphones déposées en Suisse. C'est devenu un terme éponyme pour l'objet, quelle qu'en soit la marque.

9 c. Parce que, depuis des siècles, c'est le terme employé pour désigner une femme

Dès le 16e siècle, le terme « blonde » était employé pour désigner une femme gracieuse. Le terme est resté au Québec, où aujourd'hui, il désigne une petite amie. En France, le terme était également utilisé dans ce sens, il y a quelques siècles, comme en témoigne la chanson *Auprès de ma blonde* (datant de 1712) écrite par un soldat français, prisonnier en Hollande, en souvenir de son épouse.

10 a. Un tire-bouchon

Un « ziboulateur » est un « débouchonneur » (en langage imagé !). Ce terme vient probablement d'un mélange de zimbala (une langue africaine) et de français. Pour s'en rappeler, pensez au fameux Zébulon, personnage qui se déplace sur un ressort dans *Le manège enchanté*. Et pour continuer dans le registre des mots rigolos, sachez que « faire tokotoko » au Bénin, c'est se moquer de quelqu'un !

QUESTIONS

Qui suis-je ?

1 **Je suis un pays anglophone. Pourtant, ma devise nationale (« Dieu et mon droit ») est officiellement écrite en français. Qui suis-je ?**

a. Le Royaume-Uni
b. Les États-Unis
c. L'Écosse

2 **Pour les scientifiques, je suis un chiroptère. Mon nom vient du grec *Cawa Sorix*, qui signifie « chouette souris », car je vis la nuit (comme la chouette) et ma morphologie ressemble à celle d'une souris. Pourtant, je ne suis pas un rongeur. Qui suis-je ?**

a. Le koala
b. Un chinchilla
c. Une chauve-souris

3 **Je suis un groupe de rock américain originaire de Houston au Texas et qui était très en vogue durant les années 70. Le batteur s'appelle Beard (qui signifie « barbe » en anglais), bien que ce soit le seul du groupe qui ne porte pas une longue barbe. Qui suis-je ?**

a. ZZ top
b. Deep Purple
c. Eagles

4 **Je suis un pays d'Amérique latine. La grande majorité de ma population est d'origine européenne. La langue nationale est l'espagnol, et la monnaie est le peso. Ma capitale est Buenos Aires. Qui suis-je ?**

a. La Colombie
b. L'Argentine
c. Le Vénézuéla

5 **Je suis un oiseau migrateur. À la naissance, mon plumage est gris. Dans *Alice au pays des merveilles*, selon les règles établies par la Reine de Cœur, je sers de maillet pour jouer au croquet. Qui sui-je ?**

a. Un flamant rose
b. Un héron
c. Une cigogne

6 **La légende raconte que, sur ma carte de visite, j'étais « négociant en mobilier ». Mon vrai prénom était Alphonse. Marlon Brando et Robert De Niro ne sont que des imitateurs. J'ai été incarcéré dans la prison d'Alcatraz pour fraude fiscale. Quis suis-je ?**

a. Al Capone
b. Jules César
c. Le monstre de Frankenstein

7 **Je suis un personnage de roman... l'un des premiers qui furent écrits à la machine à écrire. J'habite chez ma tante Molly. Je suis amoureux de Becky. Je suis né sur les bords du fleuve Mississippi. Qui suis-je ?**

a. Rémi
b. Esteban des *Cités d'or*
c. Tom Sawyer

8 **Je vis dans une grande ville californienne, où les rues sont bordées de palmiers. De nombreuses séries télévisées y ont été tournées : *Colombo, Rick Hunter, NCIS, Drôles de dames, le Prince de Bel-Air, Nip/Tuck*... Qui suis-je ?**

a. Un Ange
b. Un Angelin
c. Un Losange

9 **La légende raconte que j'étais un défenseur des pauvres et des opprimés, volant les riches pour redistribuer aux pauvres. J'ai vécu caché dans la forêt de Sherwood. Qui suis-je ?**

a. Robin des bois
b. Rondin de bois
c. Robin la Capuche

10 **Je suis l'aîné des Dalton dans la bande dessinée. Le petit ou le grand, à vous de deviner... Qui suis-je ?**

a. Joe
b. Jack
c. Averell

« 1 DICE ET 2 VINETTES »

RÉPONSES

1 **a. Le Royaume-Uni**

La devise « Dieu et mon droit » remonte à l'époque où les Normands régnaient en Angleterre. Il faut se rappeler qu'en 1066 Guillaume II, duc de Normandie (aussi connu sous le nom de Guillaume le Conquérant), s'est emparé du royaume d'Angleterre. Le français devint alors la langue des souverains pendant plusieurs siècles.

2 **c. Une chauve-souris**

Les chiroptères sont les seuls réels mammifères volants. La chauve-souris a inspiré les personnages de Batman et de Dracula.

3 **a. ZZ top**

Les trois membres sont Billy Gibbons (au chant et à la guitare), Dusty Hill (au chant et à la basse) et Frank Beard (à la batterie). Gibbons et Hill portent toujours des lunettes de soleil, un chapeau et une longue barbe.

4 **b. L'Argentine**

Son nom vient du latin *argentum* qui signifie « argent ». L'Argentine est la quatrième puissance d'Amérique latine.

5 **a. Un flamant rose**

Dans la partie de croquet d'*Alice au pays des merveilles*, les maillets sont des flamants roses, les boules sont des hérissons et les arceaux sont des cartes à jouer.

6 **a. Al Capone**
Il a commencé sa carrière en tant que caissier dans une épicerie, puis il a ouvert un salon de barbier.

7 **c. Tom Sawyer**
Les aventures de Tom Sawyer était, à l'origine, un roman de Mark Twain, publié en 1876.

8 **b. Un Angelin**
Les habitants de Los Angeles s'appellent les Angelins, ou les Angelenos, ou encore *Los Angelinos* (en espagnol).

9 **a. Robin des bois**
Mais on peut admettre la réponse **c. Robin la Capuche**, qui est la traduction littérale du titre anglais *Robin Hood* !

10 **a. Joe**
L'aîné des Dalton est le plus petit, le plus colérique, mais aussi le plus intelligent.

QUE FAIRE QUAND... ?

QUESTIONS

On vous donne le choix.

1 Que faire quand votre café est trop chaud ? Vaut-il mieux souffler dessus ou le remuer pour le refroidir ?

a. Souffler dessus
b. Le remuer avec une petite cuillère
c. Cela ne change rien, et les impatients finiront toujours par se brûler !

2 Que faire quand il pleut ? Vaut-il mieux courir ou marcher pour être le moins mouillé possible ?

a. Courir
b. Marcher
c. Ça dépend !

3 Que faire quand vous voulez pimenter votre relation amoureuse ? Choisissez votre salade.

a. La laitue
b. La roquette

4 Que faire quand on trouve un *lucky penny* (ou une pièce d'un cent) par terre, côté face vers le haut ?

a. Le ramasser
b. Le retourner

5 Que faire quand on veut conserver les bulles dans une bouteille de champagne ?

a. Mettre une petite cuillère dans le goulot de la bouteille
b. La mettre au frais
c. La boire si vous n'avez pas de bouchon hermétique

6 Que faire quand vous êtes passé par inadvertance sous une échelle ? Voici au choix trois « super... stitions ».

a. Courir chercher un trèfle à quatre feuilles
b. Faire un signe de croix
c. Faire le tour de l'échelle et repasser dessous, mais à reculons

7 **Que ne faut-il pas faire quand on porte un stimulateur cardiaque (*pacemaker*) ?**

a. Cuisiner avec des plaques à induction
b. Rester trop longtemps à côté d'un ordinateur
c. Utiliser un téléphone sans fil plus de dix minutes

8 **Que faire quand vous avez la paume de la main droite qui vous démange ?**

a. Penser à autre chose
b. Il faut la gratter très fort, car c'est de bon augure
c. Il faut aller aux urgences de l'hôpital le plus proche

9 **Que faire quand on vous lance le défi suivant : sur la table sont alignés 6 verres (3 pleins, puis 3 vides); il faut, en déplaçant un seul verre, obtenir une alternance de verres vides et de verres pleins ?**

a. Oublier ce défi... c'est assurément impossible
b. Réfléchir... si vous aimez les défis
c. Regarder la solution... si vous êtes pressé

10 **Que faire quand vous serez mort ? Il y a une porte pour le paradis et une porte pour l'enfer. Il y a un gardien devant chacune d'elles. L'un des deux est un menteur et l'autre dit toujours la vérité. Vous avez droit à une seule question pour trouver la porte du paradis. Parmi les propositions suivantes, laquelle choisissez-vous ?**

a. Êtes-vous tous les deux des menteurs ?
b. Est-ce que l'autre gardien me dirait que je suis devant la porte du paradis ?
c. La porte du paradis est-elle derrière le menteur ?

RÉPONSES

1

b. Le remuer avec une petite cuillère

Les deux techniques de convection sont basées sur le même principe : accélérer les échanges thermiques par transfert d'énergie entre molécules. En remuant son café, on ramène vers le haut les couches profondes plus chaudes, qui se refroidiront plus facilement en surface. Quand on souffle au-dessus de la tasse, la couche d'air chaud (la vapeur) est remplacée par une couche d'air sec qui captera plus rapidement la chaleur du café. Mais les deux techniques ne se valent pas en terme d'efficacité : le liquide étant plus dense que l'air, son déplacement permet un tranfert de chaleur plus important. Mieux vaut donc remuer plutôt que souffler !

2

c. Ça dépend !

... de l'angle de la pluie et de sa vitesse de chute, entre autres paramètres.

Selon la plupart des études expérimentales, il serait préférable de courir. Pour en être sûr, avant de vous aventurer dehors sous la pluie et sans votre parapluie, consultez le site

http://www.dctech.com/physics/features/0600.php

Vous pouvez y calculer la quantité d'eau que vous allez recevoir si vous marchez ou si vous courez.

3

b. La roquette

La laitue possède des propriétés soporifiques et susceptibles de calmer les sens. Si on lui prête parfois des vertus aphrodisiaques, c'est peut-être parce que la laitue sauvage pousse sur de longues tiges desquelles s'écoule un liquide blanchâtre lorsqu'elles sont entaillées. Cette particularité lui a valu son nom (« laitue » vient du latin *lacta*, qui signifie « lait »). Mais ce liquide était autrefois utilisé comme somnifère et non comme stimulant sexuel. Pour des nuits agitées, préférez donc la roquette, considérée comme un puissant aphrodisiaque !

4

a. Le ramasser

C'est l'un des porte-bonheur les plus connus. Mais attention, si le *lucky penny* est côté pile, il ne faut pas le ramasser, car cela porterait malheur !

5

c. La boire si vous n'avez pas de bouchon hermétique

Mettre une petite cuillère dans le goulot de la bouteille de champagne n'a aucun effet sur les bulles, contrairement à la croyance populaire. Ce stratagème, disait-on, était censé retenir le CO_2

à condition que la cuillère soit en argent. Mais en 1995, une équipe de chercheurs s'est penchée sur la bouteille ! Et avant que les bulles ne leur montent à la tête, les chercheurs ont démontré que la fameuse petite cuillère n'a aucun effet. La seule solution serait de mettre un bouchon hermétique.

6 c. Faire le tour de l'échelle et repasser dessous, mais à reculons

Vous pouvez aussi cracher trois fois entre les échelons ou une fois sur vos chaussures. Et comme deux précautions valent mieux qu'une, gardez les doigts croisés, jusqu'à ce que vous voyiez un chien. Pour la petite histoire : Au 17e siècle, en France et en Angleterre, une loi obligeait les condamnés à mort à passer sous l'échelle de la potence, alors que le bourreau la contournait. Alors, si vous êtes obligés de passer sous une échelle, croisez les doigts !

7 a. Cuisiner avec des plaques à induction

Il ne faut pas non plus laisser son cellulaire (téléphone portable) dans la poche de chemise près du stimulateur cardiaque ni rester à proximité des arceaux antivol des magasins. Toutefois, l'utilisation d'un four à micro-ondes en bon état ne serait pas dangereuse.

8 a. Penser à autre chose

Il ne faut surtout pas la gratter. C'est signe de perte d'argent. La démangeaison de la paume de la main gauche est, quant à elle, un signe de rentrée d'argent. Si celle-ci vous démange, grattez-la avec un morceau de bois !

9 c. Regarder la solution... si vous êtes pressé

Ceux qui ont répondu b. sont toujours en train de réfléchir ! Il faut prendre le 2e verre et le vider dans le 5e verre, puis le reposer à sa place initiale.

10 b. Est-ce que l'autre gardien me dirait que je suis devant la porte du paradis ?

Si le gardien à qui vous posez la question répond « oui », utilisez alors l'autre porte. S'il répond « non », alors la porte du paradis est derrière le gardien interrogé. Quelle que soit la configuration (le menteur devant la porte du paradis, ou devant la porte de l'enfer), la réponse sera un mensonge.

QUESTIONS

... Et ça s'arrose !

1 Quelle est la « Journée mondiale sans Facebook » ?

a. Le 28 février
b. Le 29 février
c. Le 1er avril

2 À quand remontent les farces du 1er avril ?

a. Au 16e siècle
b. Au 19e siècle
c. Au 20e siècle

3 Dans la plupart des pays, quand célèbre-t-on la fête des Mères ?

a. Lors de la Journée internationale de la femme
b. Le 4e dimanche du mois de février
c. Le 2e dimanche du mois de mai

4 Quel plat mange-t-on traditionnellement le jour de l'Action de grâce (*Thanksgiving*) ?

a. Une dinde farcie
b. Du poisson frit
c. Des citrouilles farcies

5 Quel pays est à l'origine du 1er mai, en tant que Journée de revendication des travailleurs ?

a. La France
b. Le Canada
c. Les États-Unis

6 Comment les Brésiliens appellent-ils le père Noël ?

a. Santa Claus
b. Papa Noël
c. Pai Natal

7 À quelle date de l'année fête-t-on la Saint-Patrick ?

a. Le 14 février
b. Le 17 mars
c. Le 8 avril

8 Quelle est la date de la « Journée mondiale de lutte contre le terrorisme » ?

a. Le 23 janvier
b. Le 29 février
c. Le 11 septembre

9 Quel jour fête-t-on la Saint-Nicolas ?

a. Le 21 novembre
b. Le 6 décembre
c. Le 24 décembre

10 Que signifie « Halloween » ?

a. Le soir de tous les saints
b. La lanterne allumée
c. La fête des défunts

RÉPONSES

1 a. Le 28 février
En 2010, des milliers d'internautes ont demandé la première grande grève virtuelle de l'histoire. Sans transition, larguons les amarres.... Mille millions de mille sabords ! Le 19 septembre, c'est la Journée internationale du parler comme un pirate. Entendu, moussaillon ?

2 a. Au 16e siècle
À cette époque, le Nouvel An était le 25 mars et se fêtait jusqu'au 1er avril. En 1564, le roi Charles IX instaura un nouveau calendrier grégorien qui débutait alors le 1er janvier. Beaucoup de Français ont perpétué la tradition des cadeaux à la fin mars, jusqu'à ce que les boutades et railleries aient raison de leur entêtement ! Il était alors coutume d'envoyer des invitations à des soirées fictives, et de faire des cadeaux fantaisistes. Ah, la bonne blague ! Quant au « poisson », il sort du zodiaque à la fin mars. Oh, la bonne farce !

3 c. Le 2e dimanche du mois de mai
Bien que les Grecs et les Romains célébraient les divinités féminines, la fête officielle trouve ses origines aux États-Unis. En 1914, le président Wilson déclara le 2e dimanche du mois de mai Jour officiel de la fête des Mères. Plus de 60 pays ont retenu cette date. En France, cette fête a été officialisée en 1950, et est fixée au 4e dimanche du mois de mai ou au 1er dimanche de juin si le 4e dimanche de mai coïncide avec la Pentecôte.

4 a. Une dinde farcie
L'Action de grâce est célébrée le 2e lundi d'octobre au Canada, et la *Thanksgiving*, le 4e jeudi de novembre aux États-Unis.

5 c. Les États-Unis

Les premières grandes grèves du 1er mai ont eu lieu en 1886 aux États-Unis, date à partir de laquelle a été instaurée la limitation de la journée de travail à 8 heures, sous la pression des syndicats américains. D'ailleurs, au Québec, c'est au 1er mai que sont effectuées les augmentations du salaire minimum. En Amérique du Nord, il ne faut pas confondre la Fête des travailleurs (non chômée) et la fête du Travail (*Labor Day* qui est chômée) qui a été instaurée par le Central Labor Union et qui est célébrée le 1er lundi du mois de septembre. En France, le 1er mai 1891, lors des manifestations à Fourmies dans le Nord, la Police ouvra le feu sur les manifestants. Neuf ouvriers y trouvèrent la mort. Le 1er mai, dès lors, s'est ancré dans la tradition... comme fête des travailleurs et du travail.

6 b. Papa Noël

Il s'appelle Santa Claus (aux États-Unis), Pai Natal (au Portugal), Joulupukki (en Finlande), Christkind (en Autriche), Santa Kurohsu (au Japon) ou encore Kanakaloka (à Hawaï).

7 b. Le 17 mars

C'est le jour de la fête nationale de l'Irlande. Ce jour est fêté dans beaucoup de grandes villes à l'étranger, où de nombreux « Irlandais d'un jour » sont tout de vert vêtus, en regardant les parades irlandaises.

8 c. Le 11 septembre

Cette date commémore les attentats du 11 septembre 2001, l'un des actes terroristes les plus marquants de l'histoire.

9 b. Le 6 décembre

10 a. Le soir de tous les saints

« Halloween » est une altération de *All Hallow Even*, qui signifie littéralement « le soir de tous les saints ».

ÉBULLITION DES NEURONES

QUESTIONS

En toute logique...

1 Commnet se fiat-il que vuos pussieiz lrie et coprmenrde cttee qestuoin ?

a. Barvo ! Vorte crveeau s'adtpae
b. Vous avez trouvé un code secret
c. Vous n'avez pas compris la question

2 Pensez à votre code confidentiel de carte bancaire (à 4 chiffre). Inversez les chiffres par rapport au sens de lecture (ex. : 1 357 devient 7 531). Faites la soustraction du plus grand de ces 2 chiffres moins le plus petit (ex : 7 531 - 1 357). Additionnez tous les chiffres pour les réduire à un seul (ex. avec 456 : 4 + 5 + 6 =15 et 1 + 5 = 6). Faites une dernière soustraction : votre année de naissance – le chiffre obtenu juste avant. Qu'obtient-on ?

a. La possibilité de donner votre âge
b. La possibilité de trouver votre code confidentiel
c. Un joueur énervé qui vient de prouver qu'il sait faire des calculs. Bravo !

3 Pour aller plus loin..., multipliez votre jour de naissance par 13 et votre mois de naissance par 14. Additionnez ces deux chifffres. Comment peut-on retrouver le jour et le mois de votre naissance ?

a. En divisant ce résultat par 13
b. En bluffant

4 Si après-demain est trois jours avant le prochain lundi, quel jour sommes-nous aujourd'hui ?

a. Mardi **b.** Mercredi **c.** Jeudi

5 Par quel jour de la semaine commence un mois qui comporte un vendredi 13 ?

a. Par un samedi **b.** Par un dimanche **c.** Par un lundi

6 **Il faut une ficelle d'approximativement 1 mètre pour faire le tour d'un ballon de 32 cm de diamètre. Pour que la ficelle soit à une distance de 1 mètre de la surface du ballon, il faut 6,28 mètres de ficelle. Maintenant, si vous voulez que la ficelle soit à 2 mètres de distance du ballon, quelle longueur devez-vous encore ajouter ?**

a. 1 mètre
b. 4,32 mètres
c. 6,28 mètres

7 **Qu'est-ce qui roule le plus vite dans une pente ?**

a. Un œuf dur
b. Un œuf cru

8 **Avec plusieurs amis, chacun votre tour, lisez à haute voix ce qui suit, puis passez à la « réponse » :**

JE
N'AI
PAS DU TOUT
PEUR ME DE SENTIR LE
PLUS RIDICULE DE TOUS

9 **Combien comptez-vous de « e » dans la phrase suivante : CE TEST N'EST PAS DIFFICILE QUAND ON RESTE CONCENTRÉ SUR LE BUT À ATTEINDRE.**

a. 9 fois **b.** 10 fois **c.** 11 fois

10 **Un café au lait pour se détendre les neurones ? Prenez un bol de café et un bol de lait. Transvasez une cuillerée de café dans le bol de lait, puis une cuillerée de ce lait (au café) dans le bol de café. Y a-t-il... ?**

a. Plus de lait dans le café que de café dans le lait
b. Plus de café dans le lait que de lait dans le café
c. C'est pareil

RÉPONSES

1

a. Barvo ! Vorte crveeau s'adtpae

Seoln une étdue d'une uvenirtisé agnliase l'odrre des lttrees dans un mot n'est pas ipotrmant, ce qui cpomte ce snot la permèire et la dnièrre lertte. Le rsete est snas ipotrmacne, vuos lreiz snas pblèrome.

2

a. La possibilité de donner votre âge

Quel que soit le code confidentiel au départ, le résultat obtenu à l'avant-dernière étape (le nombre réduit à un seul chiffre) est obligatoirement 9. Il ne reste plus qu'à additionner 9 au résultat final pour obtenir votre âge.

3

a. En divisant ce résultat par 13

Le reste de la division donne le mois. Quant au jour de naissance, il s'obtient en faisant la soustraction suivante : le quotient (résultat entier) moins le reste.

4

b. Mercredi

5

b. Par un dimanche

Si le 13 du mois tombe un vendredi, vous avez 100 % de chances... pour que le 1er du mois eût été un dimanche !

6

c. 6,28 mètres

L'explication est mathématique. Pour faire le tour d'un ballon (de rayon R), la ficelle doit mesurer $2 \pi R$. Si on veut que la ficelle soit à 1 mètre de la circonférence du ballon, alors la ficelle doit mesurer $2 \pi (R + 1)$. Donc, si on calcule la différence entre les 2 tailles de ficelle, on a $2 \pi (R + 1) - 2 \pi R$, soit $2 \pi R + 2 \pi - 2 \pi R$, soit donc 2π. On obtient 6,28 mètres quelle que soit la taille du ballon.

7 a. Un œuf dur

Dans le doute, pour différencier un œuf dur d'un œuf cru, il suffit de les faire touner comme des toupies sur une table. En arrêtant du bout des doigts les deux œufs, l'oeuf dur s'arrête de tourner alors que l'œuf cru continue son mouvement, en raison de la force d'inertie.

8 C'est bien si vous avez lu « Je n'ai pas du tout peur me de sentir le plus ridicule de tous ».

C'est aussi bien, voire encore mieux, si vous avez inversé le « me » et le « de », car cela indique que votre cerveau est rapide... Il a interprété ce qu'il a perçu, et anticipé la solution qui lui paraît probable parmi celles qu'il connaît déjà. Nous avons une véritable base de données à laquelle notre cerveau se réfère.

9 c. 11 fois

Si vous n'avez pas obtenu ce résultat, recomptez ! La plupart des lecteurs auront commis une faute, car le cerveau nous permet de lire globalement et non lettre par lettre.

10 c. C'est pareil

Pourtant vous vous dites que la 1re cuillère était remplie de café pur alors que la 2e était un mélange de lait et de café ! Erreur de logique ! Faisons le calcul en prenant 200 ml de café (bol A) et 200 ml de lait (bol B). On commence par enlever une cuillère (20 ml) de café du bol A, c'est-à-dire 10 %. On a alors 200 ml de lait + 20 ml de café soit 220 ml dans le bol B.

Quand on enlève une petite cuillère (20 ml) du bol B, on retire non plus 10 % mais 9,091 % des 220 ml : 9,091 % de lait = 18,182 ml et 9,091 % de café =1,82 ml.
Dans le bol A, on aura donc les 180 ml (de café de départ) + 1,82 ml (de café) + 18,18 ml (de lait).

Dans le bol B, il restera 181,82 ml de lait et 18,18 ml de café.

QUESTIONS

Ce qu'on ne vous a pas dit dans cet ouvrage.

1 Parmi les propositions suivantes, quelle est la plus vieille blague du monde (connue à ce jour) ?

a. Comment divertir un pharaon qui s'ennuie ? Tu fais voguer sur le Nil un bateau ayant pour toute cargaison des jeunes femmes simplement vêtues de filets de pêche et tu presses le pharaon d'aller à la pêche
b. Qu'est-ce qui pend sur la cuisse d'un homme et aime à pénétrer dans un trou dans lequel il a l'habitude de pénétrer ? Réponse : une clé
c. Une chose qui n'est jamais arrivée depuis des temps immémoriaux : une jeune femme s'est retenue de péter sur les genoux de son mari

2 Complétez le proverbe : *Rien ne sert de courir, il faut partir...*

a. Plus tôt
b. À pied
c. À point

3 Pourquoi les rouges-gorges chantent-ils toute la nuit en ville, mais pas à la campagne ?

a. Parce qu'il y a trop de pollution lumineuse
b. Parce qu'ils souffrent d'insomnie
c. Parce qu'ils s'évertuent à marquer leur territoire

4 Dans quelle catégorie Pierre de Coubertin a-t-il été champion olympique ?

a. En littérature
b. En tennis
c. En cuisine

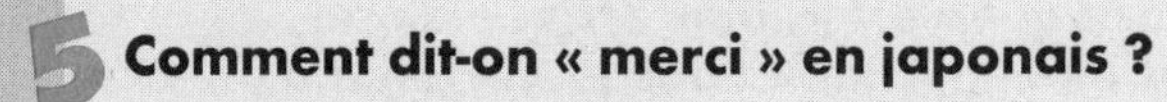

5 **Comment dit-on « merci » en japonais ?**

a. *Arigato*
b. *Mata*
c. *Tsingtao*

6 **Quelle est la fonction du gommeur de poils ?**

a. Il efface au laser les traces de pilosité
b. Il retouche des photos
c. Il tond les caniches

7 **Comment les noms des cyclones pour l'Atlantique Nord sont-ils choisis ?**

a. Des prénoms masculins les années paires et féminins les années impaires
b. Des prénoms masculins les années impaires et féminins les années paires
c. Un prénom masculin, puis un prénom féminin en alternance

8 **Dans le contrat de licence d'iTunes, qu'est-il interdit de faire avec ce logiciel ?**

a. De fabriquer une arme nucléaire
b. De se faire de la tune (de l'argent)
c. D'écouter de la musique country

9 **Les abeilles peuvent-elles fabriquer du miel de sapin ?**

a. Oui
b. Non

10 **On fait du vin rouge avec des raisins noirs et du vin blanc avec des raisins blancs. Vrai ou faux ?**

a. Vrai
b. Faux

RÉPONSES

1 c. Une chose qui n'est jamais arrivée depuis des temps immémoriaux : une jeune femme s'est retenue de péter sur les genoux de son mari

Cette blague date de 1900 avant J.-C., et elle faisait rire les Sumériens, au sud de l'Irak. On doit cette grande découverte à Paul McDonald de l'Université de Wolverhampton, en Angleterre, qui a réalisé une thèse sur l'histoire des blagues. Il a publié les dix plus anciennes blagues du monde. La proposition b. est le plus vieux gag britannique (datant du 10e siècle) et la réponse a. est la 2e plus vieille blague du monde.

2 c. À point

Rien ne sert de courir, il faut partir à point est la morale de la fable *Le lièvre et la tortue* de La Fontaine.

3 c. Parce qu'ils s'évertuent à marquer leur territoire

Selon une étude britannique, aucune corrélation ne peut être faite entre l'intensité lumineuse et le chant nocturne des rouges-gorges. Par contre, plus il y a de nuisances sonores le jour, et plus ils chantent la nuit... pour défendre leur territoire, indispensable à leur survie !

4 a. En littérature

Pierre de Coubertin, père des Jeux olympiques modernes, a été sacré champion olympique... en littérature. De 1912 à 1948, les compétitions artistiques faisaient partie des Jeux olympiques modernes, fondés par Pierre de Coubertin. Les œuvres d'art, en rapport avec le sport, étaient récompensées dans cinq catégories : architecture, littérature, musique, peinture, sculpture. C'était le « Pentathlon des muses ». En 1912, Pierre de Coubertin (qui s'était présenté sous un pseudonyme) décrocha la médaille d'or dans la catégorie littérature, avec son *Ode au sport*.

5 a. *Arigato*

Voici un petit lexique étranger...

En italien :	*grazie*
En allemand :	*danke*
En russe :	*spasibo*
En danois :	*tak*
En finnois :	*kiitos*

6 b. Il retouche des photos

Cette fonction est très répandue au Japon. La législation locale interdit la présence de poils pubiens dans toute publication. Le gommeur de poils doit donc les faire disparaître des photographies, notamment celles de nus, venues de l'étranger.

7 c. Un prénom masculin, puis un prénom féminin en alternance

Pour l'Atlantique Nord, depuis 1979, les prénoms féminins et masculins (anglais, français et espagnols) sont alternés d'un phénomène à l'autre. Les années paires débutent par un prénom masculin et les années impaires par un prénom féminin. Cette décision fait suite aux plaintes des ligues féministes aux États-Unis, concernant l'utilisation systématique de prénoms féminins pour baptiser des phénomènes dévastateurs à l'origine de catastrophes !

8 a. De fabriquer une arme nucléaire

Selon l'article g, « vous acceptez également de ne pas utiliser ces produits à des fins prohibées par le droit des États-Unis, y compris, de façon non limitative, le développement, la conception, la fabrication ou la production d'armes nucléaires, de missiles ou d'armes chimiques ou biologiques ».

9 a. Oui

Ce miel ne provient pas de fleurs mais de miellat, un liquide sécrété par les pucerons, et déposé sur les branches.

10 b. Faux

Tout d'abord, un vin blanc n'est pas blanc, mais jaune ! Ensuite, il existe le vin « blanc de blanc » (qui peut être vert) qui résulte de la fermentation du jus des raisins blancs uniquement. Puis, il y a le vin blanc qui s'obtient à partir d'un cépage rouge (à chair blanche). Dans ce cas, seul le jus de raisin est utilisé (la peau et les grains sont enlevés). En conclusion : « Blanc sur rouge, rien ne bouge.. rouge sur blanc, tout fout le camp ! »

3
2
1